The Social Contract
(French-English Text)

Jean-Jacques Rousseau

Du contrat social ou Principes du droit politique – French-English Text
Copyright © Jiahu Books 2013
First Published in Great Britain in 2013 by Jiahu Books – part of Richardson-Prachai Solutions Ltd, 34 Egerton Gate, Milton Keynes, MK5 7HH
ISBN: 978-1-909669-07-9
A CIP catalogue record for this book is available from the British Library
Visit us at: **jiahubooks.co.uk**

Rousseau Time Line

1712 June 12, born in Geneva to a watchmaker and the daughter of a minister who died after giving birth to him.

1722 His father is exiled from Geneva after a fight and moves to Lyons. Rousseau stays in Geneva in the charge of his mother's relations.

1724 Apprenticed to his uncle a lawyer who finds him incapable and sends him back.

1725 Apprenticed to an engraver.

1728 Runs away from his apprenticeship and wanders about Italy France and Switzerland. Meets Madame de Warens after converting to Catholicism in Turin.

1731 Lives in Chambery protected by the widow Madame de Warens.

1733 Madam de Warens becomes his mistress.

1738 Becomes ill and goes to Montpellier which facilitates a liason with Madame de Larange. Loses his relationship to Madam de Warens.

1740 Tutors at Lyon.

1741 Goes to Paris after discovering he neither likes teaching nor is very good at it.

1742 Unsuccessfully presents a new system of music to the Academy of Sciences. Becomes secretary to the ambassador to Venice, M. de Montaigu.

1743 Meets Therese le Vasseur who will become his mistress, bearing him five children, and whom he marries near the end of his life.

1745 Returns to Paris. Collaborates on the Encyclopedia.

1751 Publishes Discourse on the Sciences and the Arts.

1752 Production of his opera the Village Soothsayer.

1754 Returns to Geneva and abjures his abjuration of the Protestant religion.

1755 Publishes Discourse on Inequality.

1756 April moves back to Paris in a cottage at Montmorency. Writes Heloise.

1757 Leaves Montmorency for nearby Montlouis after a quarrel with Diderot.

1758 Publication of Letter to d'Alembert and final rupture in his relations with Diderot.

1761 Publication of Heloise.

1762 Publication of Emile and The Social Contract which forces him to leave France to avoid arrest. Lives briefly in Neuchatel.

1763 Renounces citizenship of Geneva.

1765 Driven from Motiers to the Island of Saint-Pierre.

1766 David Hume offers him asylum in England. Begins work on Confessions.

1767 Returns to live in various provinces of France.

1770 Returns to live in Paris. Writes many of his most important works while in Paris over the next eight years including his Dialogues and Reveries.

1778 Moves to Ermenonville where he dies suddenly on July 2.

French/English Bilingual Text

Livre I

Je veux chercher si, dans l'ordre civil, il peut y avoir quelque règle d'administration légitime et sûre, en prenant les hommes tels qu'ils sont, et les lois telles qu'elles peuvent être. Je tâcherai d'allier toujours, dans cette recherche, ce que le droit permet avec ce que l'intérêt prescrit, afin que la justice et l'utilité ne se trouvent point divisées.

J'entre en matière sans prouver l'importance de mon sujet. On me demandera si je suis prince ou législateur pour écrire sur la politique. Je réponds que non, et que c'est pour cela que j'écris sur la politique. Si j'étais prince ou législateur, je ne perdrais pas mon temps à dire ce qu'il faut faire; je le ferais, ou je me tairais.

Né citoyen d'un État libre, et membre du souverain, quelque faible influence que puisse avoir ma voix dans les affaires publiques, le droit d'y voter suffit pour m'imposer le devoir de m'en instruire: heureux, toutes les fois que je médite sur les gouvernements, de trouver toujours dans mes recherches de nouvelles raisons d'aimer celui de mon pays!

Chapitre 1.1 Sujet de ce premier livre

L'homme est né libre, et partout il est dans les fers. Tel se croit le maître des autres, qui ne laisse pas d'être plus esclave qu'eux. Comment ce changement s'est-il fait? Je l'ignore. Qu'est-ce qui peut le rendre légitime? Je crois pouvoir résoudre cette question.

Si je ne considérais que la force et l'effet qui en dérive, je dirais: «Tant qu'un peuple est contraint d'obéir et qu'il obéit, il fait bien; sitôt qu'il peut secouer le joug, et qu'il le secoue, il fait encore mieux: car, recouvrant sa liberté par le même droit qui la lui a ravie, ou il est fondé à la reprendre, ou on ne l'était point à la lui ôter». Mais l'ordre social est un droit sacré qui sert de base à tous les autres. Cependant, ce droit ne vient point de la nature; il est donc fondé sur des conventions. Il s'agit de savoir quelles sont ces conventions. Avant d'en venir là, je dois établir ce que je viens d'avancer.

Chapitre 1.2 Des premières sociétés

La plus ancienne de toutes les sociétés, et la seule naturelle, est celle de la famille: encore les enfants ne restent-ils liés au père qu'aussi longtemps qu'ils ont besoin de lui pour se conserver. Sitôt que ce besoin cesse, le lien naturel se dissout. Les enfants, exempts de l'obéissance qu'ils devaient au père; le père, exempt des soins qu'il devait aux enfants, rentrent tous également dans l'indépendance. S'ils continuent de rester unis, ce n'est plus naturellement, c'est volontairement; et la famille elle-même ne se maintient que par convention.

Book I

I mean to inquire if, in the civil order, there can be any sure and legitimate rule of administration, men being taken as they are and laws as they might be. In this inquiry I shall endeavour always to unite what right sanctions with what is prescribed by interest, in order that justice and utility may in no case be divided.

I enter upon my task without proving the importance of the subject. I shall be asked if I am a prince or a legislator, to write on politics. I answer that I am neither, and that is why I do so. If I were a prince or a legislator, I should not waste time in saying what wants doing; I should do it, or hold my peace. As I was born a citizen of a free State, and a member of the Sovereign, I feel that, however feeble the influence my voice can have on public affairs, the right of voting on them makes it my duty to study them: and I am happy, when I reflect upon governments, to find my inquiries always furnish me with new reasons for loving that of my own country.

Chapter 1.1 Subject of the First Book

Man is born free; and everywhere he is in chains. One thinks himself the master of others, and still remains a greater slave than they. How did this change come about? I do not know. What can make it legitimate? That question I think I can answer.

If I took into account only force, and the effects derived from it, I should say: "As long as people are compelled to obey, and they obey, it does well; as soon as they can shake off the yoke, and they shake it off, it does still better; for, regaining their liberty by the same right as took it away, either it is justified in resuming it, or there was no justification for those who took it away." But the social order is a sacred right which is the basis of all other rights. Nevertheless, this right does not come from nature, and must therefore be founded on conventions. Before coming to that, I have to prove what I have just asserted.

Chapter 1.2 The First Societies

The most ancient of all societies, and the only one that is natural, is the family: and even so the children remain attached to the father only so long as they need him for their preservation. As soon as this need ceases, the natural bond is dissolved. The children, released from the obedience they owed to the father, and the father, released from the care he owed his children, return equally to independence. If they remain united, they continue so no longer naturally, but voluntarily; and the family itself is then maintained only by convention.

Cette liberté commune est une conséquence de la nature de l'homme. Sa première loi est de veiller à sa propre conservation, ses premiers soins sont ceux qu'il se doit à lui-même; et sitôt qu'il est en âge de raison, lui seul étant juge des moyens propres à le conserver, devient par là son propre maître. La famille est donc, si l'on veut, le premier modèle des sociétés politiques: le chef est l'image du père, le peuple est l'image des enfants; et tous, étant nés égaux et libres, n'aliènent leur liberté que pour leur utilité. Toute la différence est que, dans la famille, l'amour du père pour ses enfants le paye des soins qu'il leur rend; et que, dans l'État, le plaisir de commander supplée à cet amour que le chef n'a pas pour ses peuples.

Grotius nie que tout pouvoir humain soit établi en faveur de ceux qui sont gouvernés: il cite l'esclavage en exemple. Sa plus constante manière de raisonner est d'établir toujours le droit par le fait.[1] On pourrait employer une méthode plus conséquente, mais non plus favorable aux tyrans.

Il est donc douteux, selon Grotius, si le genre humain appartient à une centaine d'hommes, ou si cette centaine d'hommes appartient au genre humain: et il paraît, dans tout son livre, pencher pour le premier avis: c'est aussi le sentiment de Hobbes. Ainsi voilà l'espèce humaine divisée en troupeaux de bétail, dont chacun a son chef, qui le garde pour le dévorer.

Comme un pâtre est d'une nature supérieure à celle de son troupeau, les pasteurs d'hommes, qui sont leurs chefs, sont aussi d'une nature supérieure à celle de leurs peuples. Ainsi raisonnait, au rapport de Philon, l'empereur Caligula, concluant assez bien de cette analogie que les rois étaient des dieux, ou que les peuples étaient des bêtes.

Le raisonnement de ce Caligula revient à celui de Hobbes et de Grotius. Aristote, avant eux tous, avait dit aussi que les hommes ne sont point naturellement égaux, mais que les uns naissent pour l'esclavage et les autres pour la domination.

Aristote avait raison; mais il prenait l'effet pour la cause. Tout homme né dans l'esclavage naît pour l'esclavage, rien n'est plus certain. Les esclaves perdent tout dans leurs fers, jusqu'au désir d'en sortir; ils aiment leur servitude comme les compagnons d'Ulysse aimaient leur abrutissement.[2] S'il y a donc, des esclaves par nature, c'est parce qu'il y a eu des esclaves contre nature. La force a fait les premiers esclaves, leur lâcheté les a perpétués.

Je n'ai rien dit du roi Adam, ni de, l'empereur Noé, père de trois grands monarques qui se partagèrent l'univers, comme firent les enfants de Saturne, qu'on a cru reconnaître en eux. J'espère qu'on me saura gré de cette modération; car, descendant directement de l'un de ces princes, et peut-être de la branche aînée, que

---

1«Les savant recherches sur le droit public ne sont souvent que l'histoire des anciens abus, et on s'est entêté mal à propos quand on s'est donné la peine de les trop étudier.» [Édition 1782: *Traité manuscrit de intérêts de la France avec ses voisins*, par M. le Marquis d'Argenson, imprimé chez Rey à Amsterdam] Voilà précisément ce qu'a fait Grotius.

2Voyez un petit traité de Plutarque intitulé: *Que les bêtes usent de la raison*

This common liberty results from the nature of man. His first law is to provide for his own preservation, his first cares are those which he owes to himself; and, as soon as he reaches years of discretion, he is the sole judge of the proper means of preserving himself, and consequently becomes his own master. The family then may be called the first model of political societies: the ruler corresponds to the father, and the people to the children; and all, being born free and equal, alienate their liberty only for their own advantage. The whole difference is that, in the family, the love of the father for his children repays him for the care he takes of them, while, in the State, the pleasure of commanding takes the place of the love which the chief cannot have for the peoples under him. Grotius denies that all human power is established in favour of the governed, and quotes slavery as an example. His usual method of reasoning is constantly to establish right by fact.[1] It would be possible to employ a more logical method, but none could be more favourable to tyrants.

It is then, according to Grotius, doubtful whether the human race belongs to a hundred men, or that hundred men to the human race: and, throughout his book, he seems to incline to the former alternative, which is also the view of Hobbes. On this showing, the human species is divided into so many herds of cattle, each with its ruler, who keeps guard over them for the purpose of devouring them.

As a shepherd is of a nature superior to that of his flock, the shepherds of men, i.e., their rulers, are of a nature superior to that of the peoples under them. Thus, Philo tells us, the Emperor Caligula reasoned, concluding equally well either that kings were gods, or that men were beasts.

The reasoning of Caligula agrees with that of Hobbes and Grotius. Aristotle, before any of them, had said that men are by no means equal naturally, but that some are born for slavery, and others for dominion.

Aristotle was right; but he took the effect for the cause. Nothing can be more certain than that every man born in slavery is born for slavery. Slaves lose everything in their chains, even the desire of escaping from them: they love their servitude, as the comrades of Ulysses loved their brutish condition.[2] If then there are slaves by nature, it is because there have been slaves against nature. Force made the first slaves, and their cowardice perpetuated the condition.

I have said nothing of King Adam, or Emperor Noah, father of the three great monarchs who shared out the universe, like the children of Saturn, whom some scholars have recognised in them. I trust to getting due thanks for my moderation; for, being a direct descendant of one of these princes, perhaps of the eldest branch,

---

1 "Learned inquiries into public right are often only the history of past abuses; and troubling to study them too deeply is a profitless infatuation" (Essay on the Interests of France in Relation to its Neighbours, by the Marquis d'Argenson). This is exactly what Grotius has done.
2 See a short treatise of Plutarch's entitled That Animals Reason.

sais-je si, par la vérification des titres, je ne me trouverais point le légitime roi du genre humain? Quoi qu'il en soit, on ne peut disconvenir qu'Adam. n'ait été souverain du monde, comme Robinson de son île, tant qu'il en fut le seul habitant, et ce qu'il y avait de commode dans cet empire était que le monarque, assuré sur son trône, n'avait à craindre ni rébellion, ni guerres, ni conspirateurs.

Chapitre 1.3 Du droit du plus fort

Le plus fort n'est jamais assez fort pour être toujours le maître, s'il ne transforme sa force en droit, et l'obéissance en devoir. De là le droit du plus fort; droit pris ironiquement en apparence, et réellement établi en principe. Mais ne nous expliquera-t-on jamais ce mot? La force est une puissance physique; je ne vois point quelle moralité peut résulter de ses effets. Céder à la force est un acte de nécessité, non de volonté; c'est tout au plus un acte de prudence. En quel sens pourra-ce être un devoir?

Supposons un moment ce prétendu droit. Je dis qu'il n'en résulte qu'un galimatias inexplicable; car, sitôt que c'est la force qui fait le droit, l'effet change avec la cause: toute force qui surmonte la première succède à son droit. Sitôt qu'on peut désobéir impunément, on le peut légitimement; et, puisque le plus fort a toujours raison, il ne s'agit que de faire en sorte qu'on soit le plus fort. Or, qu'est-ce qu'un droit qui périt quand la force cesse? S'il faut obéir par force, on n'a pas besoin d'obéir par devoir; et si l'on n'est plus forcé d'obéir, on n'y est plus obligé. On voit donc que ce mot de droit n'ajoute rien à la force; il ne signifie ici rien du tout.

Obéissez aux puissances. Si cela veut dire: Cédez à la force, le précepte est bon, mais superflu; je réponds qu'il ne sera jamais violé. Toute puissance vient de Dieu, je l'avoue; mais toute maladie en vient aussi: est-ce à dire qu'il soit défendu d'appeler le médecin? Qu'un brigand me surprenne au coin d'un bois, non seulement il faut par force donner sa bourse; mais, quand je pourrais la soustraire, suis-je en conscience obligé de la donner? Car, enfin, le pistolet qu'il tient est une puissance.

Convenons donc que force ne fait pas droit, et qu'on n'est obligé d'obéir qu'aux puissances légitimes. Ainsi ma question primitive revient toujours.

Chapitre 1.4 De l'esclavage

Puisque aucun homme n'a une autorité naturelle sur son semblable, et puisque la force ne produit aucun droit, restent donc les conventions pour base de toute autorité légitime parmi les hommes.

Si un particulier, dit Grotius, peut aliéner sa liberté et se rendre esclave d'un maître, pourquoi tout un peuple ne pourrait-il pas aliéner la sienne et se rendre sujet d'un roi? Il y a là bien des mots équivoques qui auraient besoin d'explication;

how do I know that a verification of titles might not leave me the legitimate king of the human race? In any case, there can be no doubt that Adam was sovereign of the world, as Robinson Crusoe was of his island, as long as he was its only inhabitant; and this empire had the advantage that the monarch, safe on his throne, had no rebellions, wars, or conspirators to fear.

Chapter 1.3 The Right of the Strongest

The strongest is never strong enough to be always the master, unless he transforms strength into right, and obedience into duty. Hence the right of the strongest, which, though to all seeming meant ironically, is really laid down as a fundamental principle. But are we never to have an explanation of this phrase? Force is a physical power, and I fail to see what moral effect it can have. To yield to force is an act of necessity, not of will — at the most, an act of prudence. In what sense can it be a duty?

Suppose for a moment that this so-called "right" exists. I maintain that the sole result is a mass of inexplicable nonsense. For, if force creates right, the effect changes with the cause: every force that is greater than the first succeeds to its right. As soon as it is possible to disobey with impunity, disobedience is legitimate; and, the strongest being always in the right, the only thing that matters is to act so as to become the strongest. But what kind of right is that which perishes when force fails? If we must obey perforce, there is no need to obey because we ought; and if we are not forced to obey, we are under no obligation to do so. Clearly, the word "right" adds nothing to force: in this connection, it means absolutely nothing.

Obey the powers that be. If this means yield to force, it is a good precept, but superfluous: I can answer for its never being violated. All power comes from God, I admit; but so does all sickness: does that mean that we are forbidden to call in the doctor? A brigand surprises me at the edge of a wood: must I not merely surrender my purse on compulsion; but, even if I could withhold it, am I in conscience bound to give it up? For certainly the pistol he holds is also a power. Let us then admit that force does not create right, and that we are obliged to obey only legitimate powers. In that case, my original question recurs.

Chapter 1.4 Slavery

Since no man has a natural authority over his fellow, and force creates no right, we must conclude that conventions form the basis of all legitimate authority among men.

If an individual, says Grotius, can alienate his liberty and make himself the slave of a master, why could not a whole people do the same and make itself subject to a king? There are in this passage plenty of ambiguous words which would need

mais tenons-nous-en à celui d'aliéner. Aliéner, c'est donner ou vendre. Or, un homme qui se fait esclave d'un autre ne se donne pas; il se vend tout au moins pour sa subsistance: mais un peuple, pourquoi se vend-il? Bien loin qu'un roi fournisse à ses sujets leur subsistance, il ne tire la sienne que d'eux; et, selon Rabelais, un roi ne vit pas de peu. Les sujets donnent donc leur personne, à condition qu'on prendra aussi leur bien? Je ne vois pas ce qu'il leur reste à conserver.

On dira que le despote assure à ses sujets la tranquillité civile; soit: mais qu'y gagnent-ils, si les guerres que son ambition leur attire, si son insatiable avidité, si les vexations de son ministère les désolent plus que ne feraient leurs dissensions? Qu'y gagnent-ils, si cette tranquillité même est une de leurs misères? On vit tranquille aussi dans les cachots: en est-ce assez pour s'y trouver bien? Les Grecs enfermés dans l'antre du Cyclope y vivaient tranquilles, en attendant que leur tour vînt d'être dévorés.

Dire qu'un homme se donne gratuitement, c'est dire une chose absurde et inconcevable; un tel acte est illégitime et nul, par cela seul que celui qui le fait n'est pas dans son bon sens. Dire la même chose de tout un peuple, c'est supposer un peuple de fous; la folie ne fait pas droit.

Quand chacun pourrait s'aliéner lui-même, il ne peut aliéner ses enfants; ils naissent hommes et libres; leur liberté leur appartient, nul n'a droit d'en disposer qu'eux. Avant qu'ils soient en âge de raison, le père peut, en leur nom, stipuler des conditions pour leur conservation, pour leur bien-être, mais non les donner irrévocablement et sans condition; car un tel don est contraire aux fins de la nature, et passe les droits de la paternité. Il faudrait donc, pour qu'un gouvernement arbitraire fût légitime, qu'à chaque génération le peuple fût le maître de l'admettre ou de le rejeter: mais alors ce gouvernement ne serait plus arbitraire.

Renoncer à sa liberté, c'est renoncer à sa qualité d'homme, aux droits de l'humanité, même à ses devoirs. Il n'y a nul dédommagement possible pour quiconque renonce à tout. Une telle renonciation est incompatible avec la nature de l'homme; et c'est ôter toute moralité à ses actions que d'ôter toute liberté à sa volonté. Enfin c'est une convention vaine et contradictoire de stipuler d'une part une autorité absolue, et de l'autre une obéissance sans bornes. N'est-il pas clair qu'on n'est engagé à rien envers celui dont on a droit de tout exiger? Et cette seule condition, sans équivalent, sans échange, n'entraîne-t-elle pas la nullité de l'acte? Car, quel droit mon esclave aurait-il contre moi, puisque tout ce qu'il a m'appartient et que, son droit étant le mien, ce droit de moi contre moi-même est un mot qui n'a aucun sens?

Grotius et les autres tirent de la guerre une autre origine du prétendu droit d'esclavage. Le vainqueur ayant, selon eux, le droit de tuer le vaincu, celui-ci peut racheter sa vie aux dépens de sa liberté; convention d'autant plus légitime qu'elle

explaining; but let us confine ourselves to the word alienate. To alienate is to give or to sell. Now, a man who becomes the slave of another does not give himself; he sells himself, at the least for his subsistence: but for what does a people sell itself? A king is so far from furnishing his subjects with their subsistence that he gets his own only from them; and, according to Rabelais, kings do not live on nothing. Do subjects then give their persons on condition that the king takes their goods also? I fail to see what they have left to preserve. It will be said that the despot assures his subjects civil tranquillity. Granted; but what do they gain, if the wars his ambition brings down upon them, his insatiable avidity, and the vexations conduct of his ministers press harder on them than their own dissensions would have done? What do they gain, if the very tranquillity they enjoy is one of their miseries? Tranquillity is found also in dungeons; but is that enough to make them desirable places to live in? The Greeks imprisoned in the cave of the Cyclops lived there very tranquilly, while they were awaiting their turn to be devoured.

To say that a man gives himself gratuitously, is to say what is absurd and inconceivable; such an act is null and illegitimate, from the mere fact that he who does it is out of his mind. To say the same of a whole people is to suppose a people of madmen; and madness creates no right.

Even if each man could alienate himself, he could not alienate his children: they are born men and free; their liberty belongs to them, and no one but they has the right to dispose of it. Before they come to years of discretion, the father can, in their name, lay down conditions for their preservation and well-being, but he cannot give them irrevocably and without conditions: such a gift is contrary to the ends of nature, and exceeds the rights of paternity. It would therefore be necessary, in order to legitimise an arbitrary government, that in every generation the people should be in a position to accept or reject it; but, were this so, the government would be no longer arbitrary.

To renounce liberty is to renounce being a man, to surrender the rights of humanity and even its duties. For him who renounces everything no indemnity is possible. Such a renunciation is incompatible with man's nature; to remove all liberty from his will is to remove all morality from his acts. Finally, it is an empty and contradictory convention that sets up, on the one side, absolute authority, and, on the other, unlimited obedience. Is it not clear that we can be under no obligation to a person from whom we have the right to exact everything? Does not this condition alone, in the absence of equivalence or exchange, in itself involve the nullity of the act? For what right can my slave have against me, when all that he has belongs to me, and, his right being mine, this right of mine against myself is a phrase devoid of meaning?

Grotius and the rest find in war another origin for the so-called right of slavery. The victor having, as they hold, the right of killing the vanquished, the latter can buy back his life at the price of his liberty; and this convention is the more

tourne au profit de tous deux. Mais il est clair que ce prétendu droit de tuer les vaincus ne résulte en aucune manière de l'état de guerre. Par cela seul, que les hommes, vivant dans leur primitive indépendance, n'ont point entre eux de rapport assez constant pour constituer ni l'état de paix ni l'état de guerre, ils ne sont point naturellement ennemis. C'est le rapport des choses et non des hommes qui constitue la guerre; et l'état de guerre ne pouvant naître des simples relations personnelles, mais seulement des relations réelles, la guerre privée ou d'homme à homme ne peut exister ni dans l'état de nature, où il n'y a point de propriété constante, ni dans l'état social, où tout est sous l'autorité des lois.

Les combats particuliers, les duels, les rencontres, sont des actes qui ne constituent point un état; et à l'égard des guerres privées, autorisées par les Établissements de Louis IX, roi de France, et suspendues par la paix de Dieu, ce sont des abus du gouvernement féodal, système absurde, s'il en fut jamais, contraire aux principes du droit naturel et à toute bonne politie.

La guerre n'est donc point une relation d'homme à homme, mais une relation d'État à État, dans laquelle les particuliers ne sont ennemis qu'accidentellement, non point comme hommes, ni même comme citoyens[3], mais comme soldats; non point comme membres de la patrie, mais comme ses défenseurs. Enfin chaque État ne peut avoir pour ennemis que d'autres États, et non pas des hommes, attendu qu'entre choses de diverses natures on ne peut fixer aucun vrai rapport.

Ce principe est même conforme aux maximes établies de tous les temps et à la pratique constante de tous les peuples policés. Les déclarations de guerre sont moins des avertissements aux puissances qu'à leurs sujets. L'étranger, soit roi, soit particulier, soit peuple, qui vole, tue, ou détient les sujets, sans déclarer la guerre au prince, n'est pas un ennemi, c'est un brigand. Même en pleine guerre, un prince juste s'empare bien, en pays ennemi, de tout ce qui appartient au public; mais il respecte la personne et les biens des particuliers; il respecte des droits sur lesquels sont fondés les siens. La fin de la guerre étant la destruction de l'État ennemi, on a droit d'en tuer les défenseurs tant qu'ils ont les armes à la main; mais sitôt qu'ils les posent et se rendent, cessant d'être ennemis ou instruments de l'ennemi, ils redeviennent simplement hommes, et l'on n'a plus de droit sur leur vie. Quelquefois, on peut tuer l'État sans tuer un seul de ses membres: or la guerre ne

---

3«Les Romains qui ont (mieux) entendu et plus respecté le droit de la guerre qu'aucune nation du monde portaient si loin le scrupule à cet égard qu'il n'était pas permis à un citoyen de servir comme volontaire sans s'être engagé expressément contre l'ennemi et nommément contre tel ennemi.Une légion où Caton le fils faisait ses premières armes sous Popilius allant été réformée, Caton le Père écrivit à Popilius que s'il voulait bien que son fils continuât de servir sous lui il fallait lui faire prêter un noveau serment militaire, parce que le premier étant annulé il ne pouvait plus porter les armes contre l'ennemi. Et le même Caton écrivit à son fils de se bien garder de se présenter au combat qu'il n'eût prêté ce nouveau serment. Je sais qu'on pourra m'opposer le siège de Clusium et d'autres faits particuliers mais moi je cite des lois et ils sont les seuls qui enaient eu d'aussi belles.» [Édition de 1782]

16

legitimate because it is to the advantage of both parties.

But it is clear that this supposed right to kill the conquered is by no means deducible from the state of war. Men, from the mere fact that, while they are living in their primitive independence, they have no mutual relations stable enough to constitute either the state of peace or the state of war, cannot be naturally enemies. War is constituted by a relation between things, and not between persons; and, as the state of war cannot arise out of simple personal relations, but only out of real relations, private war, or war of man with man, can exist neither in the state of nature, where there is no constant property, nor in the social state, where everything is under the authority of the laws.

Individual combats, duels and encounters, are acts which cannot constitute a state; while the private wars, authorised by the Establishments of Louis IX, King of France, and suspended by the Peace of God, are abuses of feudalism, in itself an absurd system if ever there was one, and contrary to the principles of natural right and to all good polity.

War then is a relation, not between man and man, but between State and State, and individuals are enemies only accidentally, not as men, nor even as citizens[3], but as soldiers; not as members of their country, but as its defenders. Finally, each State can have for enemies only other States, and not men; for between things disparate in nature there can be no real relation.

Furthermore, this principle is in conformity with the established rules of all times and the constant practice of all civilised peoples. Declarations of war are intimations less to powers than to their subjects. The foreigner, whether king, individual, or people, who robs, kills or detains the subjects, without declaring war on the prince, is not an enemy, but a brigand. Even in real war, a just prince, while laying hands, in the enemy's country, on all that belongs to the public, respects the lives and goods of individuals: he respects rights on which his own are founded. The object of the war being the destruction of the hostile State, the other side has a right to kill its defenders, while they are bearing arms; but as soon as they lay them down and surrender, they cease to be enemies or instruments of the enemy, and become once more merely men, whose life no one has any right to take. Sometimes it is possible to kill the State without killing a single one of its

---

3 The Romans, who understood and respected the right of war more than any other nation on earth, carried their scruples on this head so far that a citizen was not allowed to serve as a volunteer without engaging himself expressly against the enemy, and against such and such an enemy by name. A legion in which the younger Cato was seeing his first service under Popilius having been reconstructed, the elder Cato wrote to Popilius that, if he wished his son to continue serving under him, he must administer to him a new military oath, because, the first having been annulled, he was no longer able to bear arms against the enemy. The same Cato wrote to his son telling him to take great care not to go into battle before taking this new oath. I know that the siege of Clusium and other isolated events can be quoted against me; but I am citing laws and customs. The Romans are the people that least often transgressed its laws; and no other people has had such good ones.

donne aucun droit qui ne soit nécessaire à sa fin. Ces principes ne sont pas ceux de Grotius; ils ne sont pas fondés sur des autorités de poètes; mais ils dérivent de la nature des choses, et sont fondés sur la raison.

A l'égard du droit de conquête, il n'a d'autre fondement que la loi du plus fort. Si la guerre ne donne point au vainqueur le droit de massacrer les peuples vaincus, ce droit qu'il n'a pas ne peut fonder celui de les asservir. On n'a le droit de tuer l'ennemi que quand on ne peut le faire esclave; le droit de le faire esclave ne vient donc pas du droit de le tuer: c'est donc un échange inique de lui faire acheter au prix de sa liberté sa vie, sur laquelle on n'a aucun droit. En établissant le droit de vie et de mort sur le droit d'esclavage, et le droit d'esclavage sur le droit de vie et de mort, n'est-il pas clair qu'on tombe dans le cercle vicieux?

En supposant même ce terrible droit de tout tuer, je dis qu'un esclave fait à la guerre, ou un peuple conquis, n'est tenu à rien du tout envers son maître, qu'à lui obéir autant qu'il y est forcé. En prenant un équivalent à sa vie, le vainqueur ne lui en a point fait grâce: au lieu de le tuer sans fruit, il l'a tué utilement. Loin donc qu'il ait acquis sur lui nulle autorité jointe à la force, l'état de guerre subsiste entre eux comme auparavant, leur relation même en est l'effet; et l'usage du droit de la guerre ne suppose aucun traité de paix. Ils ont fait une convention; soit: mais cette convention, loin de détruire l'état de guerre, en suppose la continuité.

Ainsi, de quelque sens qu'on envisage les choses, le droit d'esclavage est nul, non seulement parce qu'il est illégitime, mais parce qu'il est absurde et ne signifie rien. Ces mots, esclave et droit, sont contradictoires; ils s'excluent mutuellement. Soit d'un homme à un homme, soit d'un homme à un peuple, ce discours sera toujours également insensé: «Je fais avec toi une convention toute à ta charge et toute à mon profit, que j'observerai tant qu'il me plaira, et que tu observeras tant qu'il me plaira.»

Chapitre 1.5 Qu'il faut toujours remonter à une première convention

Quand j'accorderais tout ce que j'ai réfuté jusqu'ici, les fauteurs du despotisme n'en seraient pas plus avancés. Il y aura toujours une grande différence entre soumettre une multitude et régir une société. Que des hommes épars soient successivement asservis à un seul, en quelque nombre qu'ils puissent être, je ne vois là qu'un maître et des esclaves, je n'y vois point un peuple et son chef: c'est, si l'on veut, une agrégation, mais non pas une association; il n'y a là ni bien public, ni corps politique. Cet homme, eût-il asservi la moitié du monde, n'est toujours qu'un particulier; son intérêt, séparé de celui des autres, n'est toujours qu'un intérêt privé. Si ce même homme vient à périr, -son empire, après lui, reste épars et sans liaison, comme un chêne se dissout et tombe en un tas de cendres, après que le feu l'a consumé.

members; and war gives no right which is not necessary to the gaining of its object. These principles are not those of Grotius: they are not based on the authority of poets, but derived from the nature of reality and based on reason.

The right of conquest has no foundation other than the right of the strongest. If war does not give the conqueror the right to massacre the conquered peoples, the right to enslave them cannot be based upon a right which does not exist. No one has a right to kill an enemy except when he cannot make him a slave, and the right to enslave him cannot therefore be derived from the right to kill him. It is accordingly an unfair exchange to make him buy at the price of his liberty his life, over which the victor holds no right.

Is it not clear that there is a vicious circle in founding the right of life and death on the right of slavery, and the right of slavery on the right of life and death?

Even if we assume this terrible right to kill everybody, I maintain that a slave made in war, or a conquered people, is under no obligation to a master, except to obey him as far as he is compelled to do so. By taking an equivalent for his life, the victor has not done him a favour; instead of killing him without profit, he has killed him usefully. So far then is he from acquiring over him any authority in addition to that of force, that the state of war continues to subsist between them: their mutual relation is the effect of it, and the usage of the right of war does not imply a treaty of peace. A convention has indeed been made; but this convention, so far from destroying the state of war, presupposes its continuance.

So, from whatever aspect we regard the question, the right of slavery is null and void, not only as being illegitimate, but also because it is absurd and meaningless. The words slave and right contradict each other, and are mutually exclusive. It will always be equally foolish for a man to say to a man or to a people: "I make with you a convention wholly at your expense and wholly to my advantage; I shall keep it as long as I like, and you will keep it as long as I like."

Chapter 1.5 That We Must Always Go Back to a First Convention

Even if I granted all that I have been refuting, the friends of despotism would be no better off. There will always be a great difference between subduing a multitude and ruling a society. Even if scattered individuals were successively enslaved by one man, however numerous they might be, I still see no more than a master and his slaves, and certainly not a people and its ruler; I see what may be termed an aggregation, but not an association; there is as yet neither public good nor body politic. The man in question, even if he has enslaved half the world, is still only an individual; his interest, apart from that of others, is still a purely private interest. If this same man comes to die, his empire, after him, remains scattered and without unity, as an oak falls and dissolves into a heap of ashes when the fire has consumed it.

Un peuple, dit Grotius, peut se donner à un roi. Selon Grotius, un peuple est doncun peuple avant de se donner à un roi. Ce don même est un acte civil; il suppose une délibération publique. Avant donc que d'examiner l'acte par lequel un peuple élit un roi, il serait bon d'examiner l'acte par lequel un peuple est un peuple; car cet acte, étant nécessairement antérieur à l'autre, est le vrai fondement de la société.

En effet, s'il n'y avait point de convention antérieure, où serait, à moins que l'élection ne fût unanime, l'obligation pour le petit nombre de se soumettre au choix du grand? et d'où cent qui veulent un maître ont-ils le droit de voter pour dix qui n'en veulent point? La loi de la pluralité des suffrages est elle-même un, établissement de convention et suppose, au moins une fois, l'unanimité.

Chapitre 1.6 Du pacte social

Je suppose les hommes parvenus à ce point où les obstacles qui nuisent à leur conservation dans l'état de nature l'emportent, par leur résistance, sur les forces que chaque individu peut employer pour se maintenir dans cet état. Alors cet état primitif ne peut plus subsister; et le genre humain périrait s'il ne changeait de manière d'être.

Or, comme les hommes ne peuvent engendrer de nouvelles forces, mais seulement unir et diriger celles qui existent, ils n'ont plus d'autre moyen, pour se conserver, que de former par agrégation une somme de forces qui puisse l'emporter sur la résistance, de les mettre en jeu par un seul mobile et de les faire agir de concert.

Cette somme de forces ne peut naître que du concours de plusieurs; mais la force et la liberté de chaque homme étant les premiers instruments de sa conservation, comment les engagera-t-il sans se nuire et sans négliger les soins qu'il se doit? Cette difficulté, ramenée à mon sujet, peut s'énoncer en ces termes:

«Trouver une forme d'association qui défende et protège de toute la force commune la personne et les biens de chaque associé, et par laquelle chacun, s'unissant à tous, n'obéisse pourtant qu'à lui-même, et reste aussi libre qu'auparavant.» Tel est le problème fondamental dont le Contrat social donne la solution.

Les clauses de ce contrat sont tellement déterminées par la nature de l'acte, que la moindre modification les rendrait vaines et de nul effet; en sorte que, bien qu'elles n'aient peut-être jamais été formellement énoncées, elles sont partout les mêmes, partout tacitement admises et reconnues, jusqu'à ce que, le pacte social étant violé, chacun rentre alors dans ses premiers droits, et reprenne sa liberté naturelle, en perdant la liberté conventionnelle pour laquelle il y renonça.

Ces clauses, bien entendues, se réduisent toutes à une seule - savoir, l'aliénation totale de chaque associé avec tous ses droits à toute la communauté: car,

A people, says Grotius, can give itself to a king. Then, according to Grotius, a people is a people before it gives itself. The gift is itself a civil act, and implies public deliberation. It would be better, before examining the act by which a people gives itself to a king, to examine that by which it has become a people; for this act, being necessarily prior to the other, is the true foundation of society.

Indeed, if there were no prior convention, where, unless the election were unanimous, would be the obligation on the minority to submit to the choice of the majority? How have a hundred men who wish for a master the right to vote on behalf of ten who do not? The law of majority voting is itself something established by convention, and presupposes unanimity, on one occasion at least.

Chapter 1.6 The Social Contract

I suppose men to have reached the point at which the obstacles in the way of their preservation in the state of nature show their power of resistance to be greater than the resources at the disposal of each individual for his maintenance in that state. That primitive condition can then subsist no longer; and the human race would perish unless it changed its manner of existence. But, as men cannot engender new forces, but only unite and direct existing ones, they have no other means of preserving themselves than the formation, by aggregation, of a sum of forces great enough to overcome the resistance. These they have to bring into play by means of a single motive power, and cause to act in concert.

This sum of forces can arise only where several persons come together: but, as the force and liberty of each man are the chief instruments of his self-preservation, how can he pledge them without harming his own interests, and neglecting the care he owes to himself? This difficulty, in its bearing on my present subject, may be stated in the following terms:

"The problem is to find a form of association which will defend and protect with the whole common force the person and goods of each associate, and in which each, while uniting himself with all, may still obey himself alone, and remain as free as before. " This is the fundamental problem of which the Social Contract provides the solution.

The clauses of this contract are so determined by the nature of the act that the slightest modification would make them vain and ineffective; so that, although they have perhaps never been formally set forth, they are everywhere the same and everywhere tacitly admitted and recognised, until, on the violation of the social compact, each regains his original rights and resumes his natural liberty, while losing the conventional liberty in favour of which he renounced it.

These clauses, properly understood, may be reduced to one — the total alienation of each associate, together with all his rights, to the whole community; for, in the

premièrement, chacun se donnant tout entier, la condition est égale pour tous; et la condition étant égale pour tous, nul n'a intérêt de la rendre onéreuse aux autres.

De plus, l'aliénation se faisant sans réserve, l'union est aussi parfaite qu'elle peut l'être, et nul associé n'a plus rien à réclamer: car, s'il restait quelques droits aux particuliers, comme il n'y aurait aucun supérieur commun qui pût prononcer entre eux et le public, chacun, étant en quelque point son propre juge, prétendrait bientôt l'être en tous; l'état de nature subsisterait, et l'association deviendrait nécessairement tyrannique ou vaine.

Enfin, chacun se donnant à tous ne se donne à personne; et comme il n'y a pas un associé sur lequel on n'acquière le même droit qu'on lui cède sur soi, on gagne l'équivalent de tout ce qu'on perd, et plus de force pour conserver ce qu'on a.

Si donc on écarte du pacte social ce qui n'est pas de son essence, on trouvera qu'il se réduit aux termes suivants: «Chacun de nous met en commun sa personne et toute sa puissance sous la suprême direction de la volonté générale; et nous recevons encore chaque membre comme partie indivisible du tout.»

A l'instant, au lieu de la personne particulière de chaque contractant, cet acte d'association produit un corps moral et collectif, composé d'autant de membres que l'assemblée a de voix, lequel reçoit de ce même acte son unité, son moi commun, sa vie et sa volonté. Cette personne publique, qui se forme ainsi par l'union de toutes les autres, prenait autrefois le nom de cité[4], et prend maintenant celui de république ou de corps politique, lequel est appelé par ses membres État quand il est passif, souverain quand il est actif, puissance en le comparant à ses semblables. À l'égard des associés, ils prennent collectivement le nom de peuple, et s'appellent en particulier citoyens, comme participant à l'autorité souveraine, et sujets, comme soumis aux lois de l'État. Mais ces termes se confondent souvent et se prennent l'un pour l'autre; il suffit de les savoir distinguer quand ils sont employés dans toute leur précision.

---

[4] Le vrai sens de ce mot s'est presque entièrement effacé chez les modernes; la plupart prennent une ville our une cité et un bourgeois pour un citoyen. Ils ne savent pas que les maisons font la ville mais que les citoyens font la cité. Cette même erreur coûta cher autrefois aux Carthaginois. Je n'ai pas lu que le titre de *Cives* ait jamais été donné aux sujets d'aucun prince pas même anciennement aux Macédoniens, ni de nos jours aux Anglais, quoique plus près de la liberté que tous les autres. Les seuls Français prennent tout familièrement ce nom de *citoyens*, parce qu'ils n'en ont aucune véritable idée, comme on peut le voir dans leurs dictionnaires, sans quoi ils tomberaient en l'usurpant dans le crime de lèse-majesté: ce nome chez eux exprime une vertu et non pas un droit. Quand Bodin a voulu parler de nos citoyens et bourgeois, il a fait une lourde bévue en prenant les uns pour les autres. M. d'Alembert ne s'y est pas trompé, et a bien distingué dans son article *Genève* les quatre ordres d'hommes (même cinq en y comptant les simples étrangers) qui sont dans notre ville, et dont deux seulement composent la République. Nul autre auteur français, que je sache, n'a compris le vrai sens du mot *citoyen*.

first place, as each gives himself absolutely, the conditions are the same for all; and, this being so, no one has any interest in making them burdensome to others.

Moreover, the alienation being without reserve, the union is as perfect as it can be, and no associate has anything more to demand: for, if the individuals retained certain rights, as there would be no common superior to decide between them and the public, each, being on one point his own judge, would ask to be so on all; the state of nature would thus continue, and the association would necessarily become inoperative or tyrannical.

Finally, each man, in giving himself to all, gives himself to nobody; and as there is no associate over whom he does not acquire the same right as he yields others over himself, he gains an equivalent for everything he loses, and an increase of force for the preservation of what he has.

If then we discard from the social compact what is not of its essence, we shall find that it reduces itself to the following terms: "Each of us puts his person and all his power in common under the supreme direction of the general will, and, in our corporate capacity, we receive each member as an indivisible part of the whole."

At once, in place of the individual personality of each contracting party, this act of association creates a moral and collective body, composed of as many members as the assembly contains votes, and receiving from this act its unity, its common identity, its life and its will. This public person, so formed by the union of all other persons formerly took the name of city,[4] and now takes that of Republic or body politic; it is called by its members State when passive. Sovereign when active, and Power when compared with others like itself. Those who are associated in it take collectively the name of people, and severally are called citizens, as sharing in the sovereign power, and subjects, as being under the laws of the State. But these terms are often confused and taken one for another: it is enough to know how to distinguish them when they are being used with precision.

4The real meaning of this word has been almost wholly lost in modern times; most people mistake a town for a city, and a townsman for a citizen. They do not know that houses make a town, but citizens a city. The same mistake long ago cost the Carthaginians dear. I have never read of the title of citizens being given to the subjects of any prince, not even the ancient Macedonians or the English of to-day, though they are nearer liberty than any one else. The French alone everywhere familiarly adopt the name of citizens, because, as can be seen from their dictionaries, they have no idea of its meaning; otherwise they would be guilty in usurping it, of the crime of lèse-majesté: among them, the name expresses a virtue, and not a right. When Bodin spoke of our citizens and townsmen, he fell into a bad blunder in taking the one class for the other. M. d'Alembert has avoided the error, and, in his article on Geneva, has clearly distinguished the four orders of men (or even five, counting mere foreigners) who dwell in our town, of which two only compose the Republic. No other French writer, to my knowledge, has understood the real meaning of the word citizen.

Chapitre 1.7 Du souverain

On voit, par cette formule, que l'acte d'association renferme un engagement réciproque du public avec les particuliers, et que chaque individu, contractant pour ainsi dire avec lui-même, se trouve engagé sous un double rapport: savoir, comme membre du souverain envers les particuliers, et comme membre de l'État envers le souverain. Mais on ne peut appliquer ici la maxime du droit civil, que nul n'est tenu aux engagements pris avec lui-même; car il y a bien de la différence entre s'obliger envers soi ou envers un tout dont on fait partie.

Il faut remarquer encore que la délibération publique, qui peut obliger tous les sujets envers le souverain, à cause des deux différents rapports sous lesquels chacun d'eux est envisagé, ne peut, par la raison contraire, obliger le souverain envers lui-même et que, par conséquent, il est contre la nature du corps politique que le souverain s'impose une loi qu'il ne puisse enfreindre. Ne pouvant se considérer que sous un seul et même rapport, il est alors dans le cas d'un particulier contractant avec soi-même; par où l'on voit qu'il n'y a ni ne peut y avoir nulle espèce de loi fondamentale obligatoire pour le corps du peuple, pas même le contrat social. Ce qui ne signifie pas que ce corps ne puisse fort bien s'engager envers autrui, en ce qui ne déroge point à ce contrat; car, à l'égard de l'étranger, il devient un être simple, un individu.

Mais le corps politique ou le souverain, ne tirant son être que de la sainteté du contrat, ne peut jamais s'obliger, même envers autrui, à rien qui déroge à cet acte primitif, comme d'aliéner quelque portion de lui-même, ou de se soumettre à un autre souverain. Violer l'acte par lequel il existe, serait s'anéantir; et qui n'est rien ne produit rien.

Sitôt que cette multitude est ainsi réunie en un corps, on ne peut offenser un des membres sans attaquer le corps, encore moins offenser le corps sans que les membres s'en ressentent.

Ainsi le devoir et l'intérêt obligent également les deux parties contractantes à s'entraider mutuellement; et les mêmes hommes doivent chercher à réunir, sous ce double rapport, tous les avantages qui en dépendent.

Or, le souverain, n'étant formé que des particuliers qui le composent, n'a ni ne peut avoir d'intérêt contraire au leur; par conséquent, la puissance souveraine n'a nul besoin de garant envers les sujets, parce qu'il est impossible que le corps veuille nuire à tous ses membres; et nous verrons ci-après qu'il ne peut nuire à aucun en particulier. Le souverain, par cela seul qu'il est, est toujours ce qu'il doit être.

Mais il n'en est pas ainsi des sujets envers le souverain, auquel, malgré l'intérêt

This formula shows us that the act of association comprises a mutual undertaking between the public and the individuals, and that each individual, in making a contract, as we may say, with himself, is bound in a double capacity; as a member of the Sovereign he is bound to the individuals, and as a member of the State to the Sovereign. But the maxim of civil right, that no one is bound by undertakings made to himself, does not apply in this case; for there is a great difference between incurring an obligation to yourself and incurring one to a whole of which you form a part.

Attention must further be called to the fact that public deliberation, while competent to bind all the subjects to the Sovereign, because of the two different capacities in which each of them may be regarded, cannot, for the opposite reason, bind the Sovereign to itself; and that it is consequently against the nature of the body politic for the Sovereign to impose on itself a law which it cannot infringe. Being able to regard itself in only one capacity, it is in the position of an individual who makes a contract with himself; and this makes it clear that there neither is nor can be any kind of fundamental law binding on the body of the people — not even the social contract itself. This does not mean that the body politic cannot enter into undertakings with others, provided the contract is not infringed by them; for in relation to what is external to it, it becomes a simple being, an individual.

But the body politic or the Sovereign, drawing its being wholly from the sanctity of the contract, can never bind itself, even to an outsider, to do anything derogatory to the original act, for instance, to alienate any part of itself, or to submit to another Sovereign. Violation of the act by which it exists would be self-annihilation; and that which is itself nothing can create nothing. As soon as thismultitude is so united in one body, it is impossible to offend against one of the members without attacking the body, and still more to offend against the body without the members resenting it. Duty and interest therefore equally oblige the two contracting parties to give each other help; and the same men should seek to combine, in their double capacity, all the advantages dependent upon that capacity.

Again, the Sovereign, being formed wholly of the individuals who compose it, neither has nor can have any interest contrary to theirs; and consequently the sovereign power need give no guarantee to its subjects, because it is impossible for the body to wish to hurt all its members. We shall also see later on that it cannot hurt any in particular. The Sovereign, merely by virtue of what it is, is always what it should be.

This, however, is not the case with the relation of the subjects to the Sovereign,

commun, rien ne répondrait de leurs engagements, s'il ne trouvait des moyens de s'assurer de leur. fidélité.

En effet, chaque individu peut, comme homme, avoir une volonté particulière contraire ou dissemblable à la volonté générale qu'il a comme citoyen; son intérêt particulier peut lui parler tout autrement que l'intérêt commun; son existence absolue, et naturellement indépendante, peut lui faire envisager ce qu'il doit à la cause commune comme une contribution gratuite, dont la perte sera moins nuisible aux autres que le payement ne sera onéreux pour lui; et regardant la personne morale qui constitue l'État comme un être de raison, parce que ce n'est pas un homme, il jouirait des droits du citoyen sans vouloir remplir les devoirs du sujet; injustice dont le progrès causerait la ruine du corps politique.

Afin donc que ce pacte social ne soit pas un vain formulaire, il renferme tacitement cet engagement, qui seul peut donner de la force aux autres, que quiconque refusera d'obéir à la volonté générale, y sera contraint par tout le corps; ce qui ne signifie autre chose sinon qu'on le forcera à être libre, car telle est la condition qui, donnant chaque citoyen à la patrie, le garantit de toute dépendance personnelle, condition qui fait l'artifice et le Jeu de la machine politique, et qui seule rend légitimes les engagements civils, lesquels, sans cela, seraient absurdes, tyranniques, et sujets aux plus énormes abus.

Chapitre 1.8 De l'état civil

Ce passage de l'état de nature à l'état civil produit dans l'homme un changement très remarquable, en substituant dans sa conduite la justice à l'instinct, et donnant à ses actions la moralité qui leur manquait auparavant. C'est alors seulement que, la voix du devoir succédant à l'impulsion physique et le droit à l'appétit, l'homme, qui jusque-là n'avait regardé que lui-même, se voit forcé d'agir sur d'autres principes, et de consulter sa raison avant d'écouter ses penchants. Quoiqu'il se prive dans cet état de plusieurs avantages qu'il tient de la nature, il en regagne de si grands, ses facultés s'exercent et se développent, ses. idées s'étendent, ses sentiments s'ennoblissent, son âme tout entière s'élève à tel point que, si les abus de cette nouvelle condition ne le dégradaient souvent au-dessous de celle dont il est sorti, il devrait bénir sans cesse l'instant heureux qui l'en arracha pour jamais et qui, d'un animal stupide et borné, fit un être intelligent et un homme.

Réduisons toute cette balance à des termes faciles à comparer; ce que l'homme perd par le contrat social, c'est sa liberté naturelle et un droit illimité à tout ce qui le tente et qu'il peut atteindre; ce qu'il gagne, c'est la liberté civile et la propriété de tout ce qu'il possède.

which, despite the common interest, would have no security that they would fulfil their undertakings, unless it found means to assure itself of their fidelity.

In fact, each individual, as a man, may have a particular will contrary or dissimilar to the general will which he has as a citizen. His particular interest may speak to him quite differently from the common interest: his absolute and naturally independent existence may make him look upon what he owes to the common cause as a gratuitous contribution, the loss of which will do less harm to others than the payment of it is burdensome to himself; and, regarding the moral person which constitutes the State as a persona ficta, because not a man, he may wish to enjoy the rights of citizenship without being ready to fulfil the duties of a subject. The continuance of such an injustice could not but prove the undoing of the body politic.

In order then that the social compact may not be an empty formula, it tacitly includes the undertaking, which alone can give force to the rest, that whoever refuses to obey the general will shall be compelled to do so by the whole body. This means nothing less than that he will be forced to be free; for this is the condition which, by giving each citizen to his country, secures him against all personal dependence. In this lies the key to the working of the political machine; this alone legitimises civil undertakings, which, without it, would be absurd, tyrannical, and liable to the most frightful abuses.

Chapter 1.8 The Civil State

The passage from the state of nature to the civil state produces a very remarkable change in man, by substituting justice for instinct in his conduct, and giving his actions the morality they had formerly lacked. Then only, when the voice of duty takes the place of physical impulses and right of appetite, does man, who so far had considered only himself, find that he is forced to act on different principles, and to consult his reason before listening to his inclinations. Although, in this state, he deprives himself of some advantages which he got from nature, he gains inreturn others so great, his faculties are so stimulated and developed, his ideas so extended, his feelings so ennobled, and his whole soul so uplifted, that, did not the abuses of this new condition often degrade him below that which he left, he would be bound to bless continually the happy moment which took him from it for ever, and, instead of a stupid and unimaginative animal, made him an intelligent being and a man.

Let us draw up the whole account in terms easily commensurable. What man loses by the social contract is his natural liberty and an unlimited right to everything he tries to get and succeeds in getting; what he gains is civil liberty and the proprietorship of all he possesses.

Pour ne pas se tromper dans ces compensations, il faut bien distinguer la liberté naturelle, qui n'a pour bornes que les forces de l'individu, de la liberté civile, qui est limitée par la volonté générale; et la possession, qui n'est que l'effet de la force ou le droit du premier occupant, de la propriété, qui ne peut être fondée que sur un titre positif.

On pourrait, sur ce qui précède, ajouter à l'acquis de l'état civil la liberté morale qui seule rend l'homme vraiment maître de lui; car l'impulsion du seul appétit est esclavage, et l'obéissance à la loi qu'on s'est prescrite est liberté. Mais je n'en ai déjà que trop dit sur cet article, et le sens philosophique du mot liberté n'est pas ici de mon sujet.

Chapitre 1.9 Du domaine réel

Chaque membre de la communauté se donne à elle au moment qu'elle se forme, tel qu'il se trouve actuellement, lui et toutes ses forces, dont les biens qu'il possède font partie. Ce n'est pas que, par cet acte, la possession change de nature en changeant de mains, et devienne propriété dans celles du souverain; mais comme les forces de la cité sont incomparablement plus grandes que celles d'un particulier, la possession publique est aussi, dans le fait, plus forte et plus irrévocable, sans être plus légitime, au moins pour les étrangers: car l'État, à l'égard de ses membres, est maître de tous leurs biens, par le contrat social, qui, dans l'État, sert de base à tous les droits, mais il ne l'est, à l'égard des autres puissances, que par le droit de premier occupant, qu'il tient des particuliers.

Le droit de premier occupant, quoique plus réel que celui du plus fort, ne devient un vrai droit qu'après l'établissement de celui de propriété. Tout homme a naturellement droit à tout ce qui lui est nécessaire; mais l'acte positif qui le rend propriétaire de quelque bien l'exclut de tout le reste. Sa part étant faite, il doit s'y borner, et n'a plus aucun droit à la communauté. Voilà pourquoi le droit de premier occupant, si faible dans l'état de nature, est respectable à tout homme civil. On respecte moins dans ce droit ce qui est à autrui que ce qui n'est pas à soi.

En général, pour autoriser sur un terrain quelconque le droit de premier occupant, il faut les conditions suivantes: premièrement, que ce terrain ne soit encore habité par personne, secondement, qu'on n'en occupe que la quantité dont on a besoin pour subsister; en troisième lieu, qu'on en prenne possession, non par une vaine cérémonie, mais par le travail et la culture, seul signe de propriété qui, à défaut de titres juridiques, doive être respecté d'autrui.

En effet accorder au besoin et au travail le droit de premier occupant, n'est-ce pas l'étendre aussi loin qu'il peut aller? Peut-on ne pas donner des bornes à ce droit? Suffira-t-il de mettre le pied sur un terrain commun pour s'en prétendre aussitôt le maître? Suffira-t-il d'avoir la force d'en écarter un moment les autres hommes pour leur ôter le droit d'y jamais revenir?

If we are to avoid mistake in weighing one against the other, we must clearly distinguish natural liberty, which is bounded only by the strength of the individual, from civil liberty, which is limited by the general will; and possession, which is merely the effect of force or the right of the first occupier, from property, which can be founded only on a positive title. We might, over and above all this, add, to what man acquires in the civil state, moral liberty, which alone makes him truly master of himself; for the mere impulse of appetite is slavery, while obedience to a law which we prescribe to ourselves is liberty. But I have already said too much on this head, and the philosophical meaning of the word liberty does not now concern us.

Chapter 1.9 Real Property

Each member of the community gives himself to it, at the moment of its foundation, just as he is, with all the resources at his command, including the goods he possesses. This act does not make possession, in changing hands, change its nature, and become property in the hands of the Sovereign; but, as the forces of the city are incomparably greater than those of an individual, public possession is also, in fact, stronger and more irrevocable, without being any more legitimate, at any rate from the point of view of foreigners. For the State, in relation to its members, is master of all their goods by the social contract, which, within the State, is the basis of all rights; but, in relation to other powers, it is so only by the right of the first occupier, which it holds from its members. The right of the first occupier, though more real than the right of the strongest, becomes a real right only when the right of property has already been established. Every man has naturally a right to everything he needs; but the positive act which makes him proprietor of one thing excludes him from everything else. Having his share, he ought to keep to it, and can have no further right against the community. This is why the right of the first occupier, which in the state of nature is so weak, claims the respect of every man in civil society. In this right we are respecting not so much what belongs to another as what does not belong to ourselves. In general, to establish the right of the first occupier over a plot of ground, the following conditions are necessary: first, the land must not yet be inhabited; secondly, a man must occupy only the amount he needs for his subsistence; and, in the third place, possession must be taken, not by an empty ceremony, but by labour and cultivation, the only sign of proprietorship that should be respected by others, in default of a legal title. In granting the right of first occupancy to necessity and labour, are we not really stretching it as far as it can go? Is it possible to leave such a right unlimited? Is it to be enough to set foot on a plot of common ground, in order to be able to call yourself at once the master of it?

Comment un homme ou un peuple peut-il s'emparer d'un territoire immense et en priver tout le genre humain autrement que par une usurpation punissable, puisqu'elle ôte au reste des hommes le séjour et les aliments que la nature leur donne en commun? Quand Nuñez Balbao prenait, sur le rivage, possession de la mer du Sud et de toute l'Amérique méridionale au nom de la couronne de Castille, était-ce assez pour en déposséder tous les habitants et en exclure tous les princes du monde? Sur ce pied-là, ces cérémonies se multipliaient assez vainement; et le roi catholique n'avait tout d'un coup qu'à prendre possession de tout l'univers, sauf à retrancher ensuite de son empire ce qui était auparavant possédé par les autres princes.

On conçoit comment les terres des particuliers réunies et contiguës deviennent le territoire public, et comment le droit de souveraineté, s'étendant des sujets au terrain qu'ils occupent, devient à la fois réel et personnel; ce qui met les possesseurs dans une plus grande dépendance, et fait de leurs forces mêmes les garants de leur fidélité; avantage qui ne paraît pas avoir été bien senti des anciens monarques, qui, ne s'appelant que rois des Perses, des Scythes, des Macédoniens, semblaient se regarder comme les chefs des hommes plutôt que comme les maîtres du pays. Ceux d'aujourd'hui s'appellent plus habilement rois de France, d'Espagne, d'Angleterre, etc.; en tenant ainsi le terrain, ils sont bien sûrs d'en tenir les habitants.

Ce qu'il y a de singulier dans cette aliénation, c'est que, loin qu'en acceptant les biens des particuliers, la communauté les en dépouille, elle ne fait que leur en assurer la légitime possession, changer l'usurpation en un véritable droit et la jouissance en propriété. Alors, les possesseurs étant considérés comme dépositaires du bien publie, leurs droits étant respectés de tous les membres de l'État et maintenus de toutes ses forces contre l'étranger, par une cession avantageuse au public et plus encore à eux-mêmes, ils ont, pour ainsi dire, acquis tout ce qu'ils ont donné: paradoxe qui s'explique aisément par la distinction des droits que le souverain et le propriétaire ont sur le même fonds, comme on verra ci-après.Il peut arriver aussi que les hommes commencent à s'unir avant que de rien posséder, et que, s'emparant ensuite d'un terrain suffisant pour tous, ils en jouissent en commun, ou qu'ils le partagent entre eux, soit également, soit selon des proportions établies par le souverain. De quelque manière que se fasse cette acquisition, le droit que chaque particulier a sur son propre fonds est toujours subordonné au droit que la communauté a sur tous; sans quoi il n'y aurait ni solidité dans le lien social, ni force réelle dans l'exercice de la souveraineté.

Is it to be enough that a man has the strength to expel others for a moment, in order to establish his right to prevent them from ever returning? How can a man or a people seize an immense territory and keep it from the rest of the world except by a punishable usurpation, since all others are being robbed, by such an act, of the place of habitation and the means of subsistence which nature gave them in common? When Nunez Balboa, standing on the sea-shore, took possession of the South Seas and the whole of South America in the name of the crown of Castile, was that enough to dispossess all their actual inhabitants, and to shut out from them all the princes of the world? On such a showing, these ceremonies are idly multiplied, and the Catholic King need only take possession all at once, from his apartment, of the whole universe, merely making a subsequent reservation about what was already in the possession of other princes.

We can imagine how the lands of individuals, where they were contiguous and came to be united, became the public territory, and how the right of Sovereignty, extending from the subjects over the lands they held, became at once real and personal. The possessors were thus made more dependent, and the forces at their command used to guarantee their fidelity. The advantage of this does not seem to have been felt by ancient monarchs, who called themselves Kings of the Persians, Scythians, or Macedonians, and seemed to regard themselves more as rulers of men than as masters of a country. Those of the present day more cleverly call themselves Kings of France, Spain, England, etc.: thus holding the land, they are quite confident of holding the inhabitants.

The peculiar fact about this alienation is that, in taking over the goods of individuals, the community, so far from despoiling them, only assures them legitimate possession, and changes usurpation into a true right and enjoyment into proprietorship. Thus the possessors, being regarded as depositaries of the public good, and having their rights respected by all the members of the State and maintained against foreign aggression by all its forces, have, by a cession which benefits both the public and still more themselves, acquired, so to speak, all that they gave up. This paradox may easily be explained by the distinction between the rights which the Sovereign and the proprietor have over the same estate, as we shall see later on.It may also happen that men begin to unite one with another before they possess anything, and that, subsequently occupying a tract of country which is enough for all, they enjoy it in common, or share it out among themselves, either equally or according to a scale fixed by the Sovereign. However the acquisition be made, the right which each individual has to his own estate is always subordinate to the right which the community has over all: without this, there would be neither stability in the social tie, nor real force in the exercise of Sovereignty.

Je terminerai ce chapitre et ce livre par une remarque qui doit servir de base à tout système social; c'est qu'au lieu de détruire l'égalité naturelle, le pacte fondamental substitue, au contraire, une égalité morale et légitime à ce que la nature avait pu mettre d'inégalité physique entre les hommes, et que, pouvant être inégaux en force ou en génie, ils deviennent tous égaux par convention et de droit.[5]

---

5 Sous les mauvais gouvernements cette égalité n'est qu'apparente et illusoire, elle ne sert qu'à maintenir le pauvre dans sa misère et le riche dans son usurpation. Dans le fait les lois sons toujours utiles à ceux qui possèdent et nuisibles à ceux qui n'ont rien. D'où il suit que l'état social n'est avantageux aux hommes qu'autant qu'ils ont tous quelque chose et qu'aucun d'eux n'a rien de trop.

I shall end this chapter and this book by remarking on a fact on which the whole social system should rest: i.e., that, instead of destroying natural inequality, the fundamental compact substitutes, for such physical inequality as nature may have set up between men, an equality that is moral and legitimate, and that men, who may be unequal in strength or intelligence, become every one equal by convention and legal right.[5]

5Under bad governments, this equality is only apparent and illusory: it serves only to keep the pauper in his poverty and the rich man in the position he has usurped. In fact, laws are always of use to those who possess and harmful to those who have nothing: from which it follows that the social state is advantageous to men only when all have something and none too much.

Livre II

Chapitre 2.1 Que la souveraineté est inaliénable

La première et la plus importante conséquence des principes ci-devant établis, est que la volonté générale peut seule diriger les forces de l'État selon la fin de son institution, qui est le bien commun; car, si l'opposition des intérêts particuliers a rendu nécessaire l'établissement des sociétés, c'est l'accord de ces mêmes intérêts qui l'a rendu possible. C'est ce qu'il y a de commun dans ces différents intérêts qui forme le lien social; et s'il n'y avait pas quelque point dans lequel tous les intérêts s'accordent, nulle société ne saurait exister. Or, c'est uniquement sur cet intérêt commun que la société doit être gouvernée.

Je dis donc que la souveraineté, n'étant que l'exercice de la volonté générale, ne peut jamais s'aliéner, et que le souverain, qui n'est qu'un être collectif, ne peut être représenté que par lui-même; le pouvoir peut bien se transmettre, mais non pas la volonté.

En effet, s'il n'est pas impossible qu'une volonté particulière s'accorde sur quelque point avec la volonté générale, il est impossible au moins que cet accord soit durable et constant; car la volonté particulière tend, par sa nature, aux préférences, et la volonté générale à l'égalité. Il est plus impossible encore qu'on ait un garant de cet accord, quand même il devrait toujours exister; ce ne serait pas un effet de l'art, mais du hasard. Le souverain peut bien dire: «Je veux actuellement ce que veut un tel homme, ou du moins ce qu'il dit vouloir»; mais il ne peut pas dire: «Ce que cet homme voudra demain, je le voudrai encore», puisqu'il est absurde que la volonté se donne des chaînes pour l'avenir, et puisqu'il ne dépend d'aucune volonté de consentir à rien de contraire au bien de l'être qui veut. Si donc le peuple promet simplement d'obéir, il se dissout par cet acte, il perd sa qualité de peuple; à l'instantqu'il y a un maître, il n'y a plus de souverain, et dès lors le corps politique est détruit.

Ce n'est point à dire que les ordres des chefs ne puissent passer pour des volontés générales, tant que le souverain, libre de s'y opposer, ne le fait pas. En pareil cas, du silence universel on doit présumer le consentement du peuple. Ceci s'expliquera plus au long.

Chapitre 2.2 Que la souveraineté est indivisible

Par la même raison que la souveraineté est inaliénable, elle est indivisible; car la volonté est générale[6], ou elle ne l'est pas; elle est celle du corps du peuple, ou seulement d'une partie. Dans le premier cas, cette volonté déclarée est un acte de

---

6Pour qu'une volonté soit générale il n'est pas toujours nécessaire qu'elle soit unanime, mais il est nécessaire que toutes les voix soient comptées; toute exclusion formelle rompt la généralité.

Book II

Chapter 2.1 That Sovereignty Is Inalienable

The first and most important deduction from the principles we have so far laid down is that the general will alone can direct the State according to the object for which it was instituted, i.e., the common good: for if the clashing of particular interests made the establishment of societies necessary, the agreement of these very interests made it possible. The common element in these different interests is what forms the social tie; and, were there no point of agreement between them all, no society could exist. It is solely on the basis of this common interest that every society should be governed.

I hold then that Sovereignty, being nothing less than the exercise of the general will, can never be alienated, and that the Sovereign, who is no less than a collective being, cannot be represented except by himself: the power indeed may be transmitted, but not the will.

In reality, if it is not impossible for a particular will to agree on some point with the general will, it is at least impossible for the agreement to be lasting and constant; for the particular will tends, by its very nature, to partiality, while the general will tends to equality. It is even more impossible to have any guarantee of this agreement; for even if it should always exist, it would be the effect not of art, but of chance. The Sovereign may indeed say: "I now will actually what this man wills, or at least what he says he wills"; but it cannot say: "What he wills tomorrow, I too shall will" because it is absurd for the will to bind itself for the future, nor is it incumbent on any will to consent to anything that is not for the good of the being who wills. If then the people promises simply to obey, by that very act it dissolves itself and loses what makes it a people; the moment a master exists, there is no longer a Sovereign, and from that moment the body politic has ceased to exist. This does not mean that the commands of the rulers cannot pass for general wills, so long as the Sovereign, being free to oppose them, offers no opposition. In such a case, universal silence is taken to imply the consent of the people. This will be explained later on.

Chapter 2.2 That Sovereignty Is Indivisible

Sovereignty, for the same reason as makes it inalienable, is indivisible; for will either is, or is not, general[6]; it is the will either of the body of the people, or only of a part of it. In the first case, the will, when declared, is an act of Sovereignty and

---

6To be general, a will need not always be unanimous; but every vote must be counted: any exclusion is a breach of generality.

souveraineté et fait loi; dans le second, ce n'est qu'une volonté particulière, ou un acte de magistrature; c'est un décret tout au plus.Mais nos politiques II ne pouvant diviser la souveraineté dans son principe, la divisent dans son objet: ils la divisent en for-ce et en volonté, en puissance législative et en puissance, exécutive; en droits d'impôt, de justice et de guerre; en administration intérieure et en pouvoir de traiter avec l'étranger: tantôt ils confondent toutes ces parties, et tantôt ils les séparent. Ils font du souverain un être fantastique et formé de pièces rapportées; c'est comme s'ils composaient l'homme de plusieurs corps, dont l'un aurait des yeux, l'autre des bras, l'autre des pieds, et rien de plus. Les charlatans du Japon dépècent, dit-on, un enfant aux yeux des spectateurs; puis, jetant en l'air tous ses membres l'un après l'autre, ils font retomber l'enfant vivant et tout rassemblé. Tels sont à peu près les tours de gobelets de nos politiques; après avoir démembré le corps social par un prestige digne de la foire, ils rassemblent les pièces on ne sait comment.

Cette erreur vient de ne s'être pas fait des notions exactes de l'autorité souveraine, et d'avoir pris pour des parties de cette autorité ce qui n'en était que des émanations. Ainsi, par exemple, on a regardé l'acte de déclarer la guerre et celui de faire la paix comme des actes de souveraineté; ce qui n'est pas puisque chacun de ces actes n'est point une loi, mais seulement une application de la loi, un acte particulier qui détermine le cas de la loi, comme on le verra clairement quand l'idée attachée au mot loi sera fixée.

En suivant de même les autres divisions, on trouverait que, toutes les fois qu'on croit voir la souveraineté partagée, on se trompe; que les droits qu'on prend pour des parties de cette souveraineté lui sont tous subordonnés, et supposent toujours des volontés suprêmes dont ces droits ne donnent que l'exécution.

On ne saurait dire combien ce défaut d'exactitude a jeté d'obscurité sur les décisions des auteurs en matière de droit politique, quand ils ont voulu juger des droits respectifs des rois et des peuples sur les principes qu'ils avaient établis. Chacun peut voir, dans les chapitres III et IV du premier livre de Grotius, comment ce savant homme et son traducteur Barbeyrac s'enchevêtrent, s'embarrassent dans leurs sophismes, crainte d'en dire trop ou de n'en dire pas assez selon leurs vues, et de choquer les intérêts qu'ils avaient à concilier. Grotius, réfugié en France, mécontent de sa patrie, et voulant faire sa cour à Louis XIII, à qui son livre est dédié, n'épargne rien pour dépouiller les peuples de tous leurs droits et pour en revêtir les rois avec tout l'art possible. C'eût bien été aussi le goût de Barbeyrac, qui dédiait sa traduction au roi d'Angleterre Georges 1er. Mais, malheureusement, l'expulsion de Jacques II, qu'il appelle abdication, le forçait à se tenir sur la réserve, à gauchir, à tergiverser, pour ne pas faire de Guillaume un usurpateur. Si ces deux écrivains avaient adopté les vrais principes, toutes les difficultés étaient levées, et ils eussent été toujours conséquents; mais ils auraient tristement dit la vérité, et n'auraient fait leur cour qu'au peuple. Or, la vérité ne

constitutes law: in the second, it is merely a particular will, or act of magistracy — at the most a decree.But our political theorists, unable to divide Sovereignty in principle, divide it according to its object: into force and will; into legislative power and executive power; into rights of taxation, justice and war; into internal administration and power of foreign treaty. Sometimes they confuse all these sections, and sometimes they distinguish them; they turn the Sovereign into a fantastic being composed of several connected pieces: it is as if they were making man of several bodies, one with eyes, one with arms, another with feet, and each with nothing besides. We are told that the jugglers of Japan dismember a child before the eyes of the spectators; then they throw all the members into the air one after another, and the child falls down alive and whole. The conjuring tricks of our political theorists are very like that; they first dismember the Body politic by an illusion worthy of a fair, and then join it together again we know not how.

This error is due to a lack of exact notions concerning the Sovereign authority, and to taking for parts of it what are only emanations from it. Thus, for example, the acts of declaring war and making peace have been regarded as acts of Sovereignty; but this is not the case, as these acts do not constitute law, but merely the application of a law, a particular act which decides how the law applies, as we shall see clearly when the idea attached to the word law has been defined.

If we examined the other divisions in the same manner, we should find that, whenever Sovereignty seems to be divided, there is an illusion: the rights which are taken as being part of Sovereignty are really all subordinate, and always imply supreme wills of which they only sanction the execution.

It would be impossible to estimate the obscurity this lack of exactness has thrown over the decisions of writers who have dealt with political right, when they have used the principles laid down by them to pass judgment on the respective rights of kings and peoples. Every one can see, in Chapters III and IV of the First Book of Grotius, how the learned man and his translator, Barbeyrac, entangle and tie themselves up in their own sophistries, for fear of saying too little or too much of what they think, and so offending the interests they have to conciliate. Grotius, a refugee in France, ill-content with his own country, and desirous of paying his court to Louis XIII, to whom his book is dedicated, spares no pains to rob the peoples of all their rights and invest kings with them by every conceivable artifice. This would also have been much to the taste of Barbeyrac, who dedicated his translation to George I of England. But unfortunately the expulsion of James II, which he called his "abdication," compelled him to use all reserve, to shuffle and to tergiversate, in order to avoid making William out a usurper. If these two writers had adopted the true principles, all difficulties would have been removed, and they would have been always consistent; but it would have been a sad truth for them to tell, and would have paid court for them to no one save the people. Moreover,

mène point à la fortune, et le peuple ne donne ni ambassades, ni chaires, ni pensions.

Chapitre 2.3 Si la volonté générale peut errer

Il s'ensuit de ce qui précède que la volonté générale est toujours droite et tend toujours à l'utilité publique: mais il ne s'ensuit pas que les délibérations du peuple aient toujours la même rectitude. On veut toujours son bien, mais on ne le voit pas toujours: jamais on ne corrompt le peuple, mais souvent on le trompe, et c'est alors seulement qu'il paraît vouloir ce qui est mal.

Il y a souvent bien de la différence entre la volonté de tous et la volonté générale; celle-ci ne regarde qu'à l'intérêt commun; l'autre regarde à l'intérêt privé, et n'est qu'une somme de volontés particulières: mais ôtez de ces mêmes volontés les plus et les moins qui s'entre-détruisent[7], reste pour somme des différences la volonté générale.

Si, quand le peuple suffisamment informé délibère, les citoyens n'avaient aucune communication entre eux, du grand nombre de petites différences résulterait toujours la volonté générale, et la délibération serait toujours bonne. Mais quand il se fait des brigues, des associations partielles aux dépens de la grande, la volonté de chacune de ces associations devient générale par rapport à ses membres, et particulière par rapport à l'État: on peut dire alors qu'il n'y a plus autant de votants que d'hommes, mais seulement autant que d'associations. Les différences deviennent moins nombreuses et donnent un résultat moins général. Enfin quand une de ces associations est si grande qu'elle l'emporte sur toutes les autres, vous n'avez plus pour résultat une somme de petites différences, mais une différence unique; alors il n'y a plus de volonté générale, et l'avis qui l'emporte n'est qu'un avis particulier.

Il importe donc, pour avoir bien l'énoncé de la volonté générale, qu'il n'y ait pas de société partielle dans l'État, et que chaque citoyen n'opine que d'après lui[8]; telle fut l'unique et sublime institution du grand Lycurgue. Que s'il y a des sociétés partielles, il en faut multiplier le nombre et en prévenir l'inégalité, comme firent Solon, Numa, Servius. Ces précautions sont les seules bonnes pour que la volonté générale soit toujours éclairée, et que le peuple ne se trompe point.

---

7 *Chaque intérêt*, dit le M(arquis) d'A(rgenson), *a des principes différents. L'accord de deux intérêts particuliers se forme par opposition à celui d'un tiers.* Il eût pu ajouter que l'accord de tous les intérêts se forme par opposition à celui de chacun. S'il n'y avait point d'intérêts différents, à peine sentirait-on l'intérêt commun qui ne trouverait jamais d'obstacle: tout irait de lui-même, et la politique cesserait d'être un art.

8 *Vera cosa è*, dit Machiavel, *che alcune divisioni nuocono alle Republiche, e alcune giovano: quelle nuocono che sono dalle sette e da partigiani accompagnate: quelle giovano che seza sette, senza partigiani si mantengono. Non potendo adunque provedere un fondatore d'una Republica che non siano nimicizie in quella, hà da proveder almeno che non vi siano sette.* Hist. Fiorent., L. VII.

truth is no road to fortune, and the people dispenses neither ambassadorships, nor professorships, nor pensions.

Chapter 2.3 Whether The General Will Is Fallible

It follows from what has gone before that the general will is always right and tends to the public advantage; but it does not follow that the deliberations of the people are always equally correct. Our will is always for our own good, but we do not always see what that is; the people is never corrupted, but it is often deceived, and on such occasions only does it seem to will what is bad.

There is often a great deal of difference between the will of all and the general will; the latter considers only the common interest, while the former takes private interest into account, and is no more than a sum of particular wills: but take away from these same wills the pluses and minuses that cancel one another[7], and the general will remains as the sum of the differences.

If, when the people, being furnished with adequate information, held its deliberations, the citizens had no communication one with another, the grand total of the small differences would always give the general will, and the decision would always be good. But when factions arise, and partial associations are formed at the expense of the great association, the will of each of these associations becomes general in relation to its members, while it remains particular in relation to the State: it may then be said that there are no longer as many votes as there are men, but only as many as there are associations. The differences become less numerous and give a less general result. Lastly, when one of these associations is so great as to prevail over all the rest, the result is no longer a sum of small differences, but a single difference; in this case there is no longer a general will, and the opinion which prevails is purely particular.

It is therefore essential, if the general will is to be able to express itself, that there should be no partial society within the State, and that each citizen should think only his own thoughts[8]: which was indeed the sublime and unique system established by the great Lycurgus. But if there are partial societies, it is best to have as many as possible and to prevent them from being unequal, as was done by Solon, Numa and Servius. These precautions are the only ones that can guarantee that the general will shall be always enlightened, and that the people shall in no way deceive itself.

7"Every interest," says the Marquis d'Argenson, "has different principles. The agreement of two particular interests is formed by opposition to a third." He might have added that the agreement of all interests is formed by opposition to that of each. If there were no different interests, the common interest would be barely felt, as it would encounter no obstacle; all would go on of its own accord, and politics would cease to be an art.

8"In fact," says Machiavelli, "there are some divisions that are harmful to a Republic and some that are advantageous. Those which stir up sects and parties are harmful; those attended by neither are advantageous. Since, then, the founder of a Republic cannot help enmities arising, he ought at least to prevent them from growing into sects" (History of Florence, Book vii).

Chapitre 2.4 Des bornes du pouvoir souverain

Si l'État ou la cité n'est qu'une personne morale dont la vie consiste dans l'union de ses membres, et si le plus important de ses soins est celui de sa propre conservation, il lui faut une force universelle et compulsive pour mouvoir et disposer chaque partie de la manière la plus convenable au tout. Comme la nature donne à chaque homme un pouvoir absolu sur tous ses membres, le pacte social donne au corps politique un pouvoir absolu sur tous les siens; et c'est ce même pouvoir qui, dirigé par la volonté générale, porte, comme j'ai dit, le nom de souveraineté.

Mais, outre la personne publique, nous avons à considérer les personnes privées qui la composent, et dont la vie et la liberté sont naturellement indépendantes d'elle. Il s'agit donc de bien distinguer les droits respectifs des citoyens et du souverain[9], et les devoirs qu'ont à remplir les premiers en qualité de sujets, du droit naturel dont ils doivent jouir en qualité d'hommes.

On convient que tout ce que chacun aliène, par le pacte social, de sa puissance, de ses biens, de sa liberté, c'est seulement la partie de tout cela dont l'usage importe à la communauté; mais il faut convenir aussi que le souverain seul est juge de cette importance.

Tous les services qu'un citoyen peut rendre à l'État, il les lui doit sitôt que le souverain les demande; mais le souverain, de son côté, ne peut charger les sujets d'aucune chaîne inutile à la communauté: il ne peut pas même le vouloir; car, sous la loi de raison, rien ne se fait sans cause, non plus que sous la loi de nature.

Les engagements qui nous lient au corps social ne sont obligatoires que parce qu'ils sont mutuels; et leur nature est telle qu'en les remplissant on ne peut travailler pour autrui sans travailler aussi pour soi. Pourquoi la volonté générale est-elle toujours droite, et pourquoi tous veulent-ils constamment le bonheur de chacun d'eux, si ce n'est parce qu'il n'y a personne qui ne s'approprie ce mot, chacun, et qui ne songe à lui-même en votant pour tous? Ce qui prouve que l'égalité de droit et la notion de justice qu'elle produit dérivent de la préférence que chacun se donne, et par conséquent de la nature de l'homme; que la volonté générale, pour être vraiment telle, doit l'être dans son objet ainsi que dans son essence; qu'elle doit partir de tous pour s'appliquer à tous; et qu'elle perd sa rectitude naturelle lorsqu'elle tend à quelque objet individuel et déterminé, parce qu'alors, jugeant de ce qui nous est étranger, nous n'avons aucun vrai principe d'équité qui nous guide. En effet, sitôt qu'il s'agit d'un fait ou d'un droit particulier sur un point qui n'a pas été réglé par une convention générale et antérieure, l'affaire devient contentieuse: c'est un procès où les particuliers intéressés sont une des parties, et le publie l'autre,

---

9Lecteurs attentifs, ne vous pressez pas, je vous prie, de m'accuser ici de contradiction. Je n'ai pu l'éviter dans les termes, vu la pauvreté de la langue; mais attendez.

If the State is a moral person whose life is in the union of its members, and if the most important of its cares is the care for its own preservation, it must have a universal and compelling force, in order to move and dispose each part as may be most advantageous to the whole. As nature gives each man absolute power over all his members, the social compact gives the body politic absolute power over all its members also; and it is this power which, under the direction of the general will, bears, as I have said, the name of Sovereignty. But, besides the public person, we have to consider the private persons composing it, whose life and liberty are naturally independent of it. We are bound then to distinguish clearly between the respective rights of the citizens and the Sovereign[9], and between the duties the former have to fulfil as subjects, and the natural rights they should enjoy as men. Each man alienates, I admit, by the social compact, only such part of his powers, goods and liberty as it is important for the community to control; but it must also be granted that the Sovereign is sole judge of what is important.

Every service a citizen can render the State he ought to render as soon as the Sovereign demands it; but the Sovereign, for its part, cannot impose upon its subjects any fetters that are useless to the community, nor can it even wish to do so; for no more by the law of reason than by the law of nature can anything occur without a cause. The undertakings which bind us to the social body are obligatory only because they are mutual; and their nature is such that in fulfilling them we cannot work for others without working for ourselves. Why is it that the general will is always in the right, and that all continually will the happiness of each one, unless it is because there is not a man who does not think of "each" as meaning him, and consider himself in voting for all? This proves that equality of rights and the idea of justice which such equality creates originate in the preference each man gives to himself, and accordingly in the very nature of man. It proves that the general will, to be really such, must be general in its object as well as its essence; that it must both come from all and apply to all; and that it loses its natural rectitude when it is directed to some particular and determinate object, because in such a case we are judging of something foreign to us, and have no true principle of equity to guide us.

Indeed, as soon as a question of particular fact or right arises on a point not previously regulated by a general convention, the matter becomes contentious. It is a case in which the individuals concerned are one party, and the public the other,

---

9 Attentive readers, do not, I pray, be in a hurry to charge me with contradicting myself. The terminology made it unavoidable, considering the poverty of the language; but wait and see.

mais où je ne vois ni la loi qu'il faut suivre, ni le juge qui doit prononcer. Il serait ridicule de vouloir alors s'en rapporter à une expresse décision de la volonté générale, qui ne peut être que la conclusion de l'une des parties, et qui par conséquent n'est pour l'autre qu'une volonté étrangère, particulière, portée en cette occasion à l'injustice et sujette à l'erreur. Ainsi, de même qu'une volonté particulière ne peut représenter la volonté générale, la volonté générale à son tour change de nature, ayant un objet particulier, et ne peut, comme générale, prononcer ni sur un homme ni sur un fait. Quand le peuple d'Athènes, par exemple, nommait ou cassait ses chefs, décernait des honneurs à l'un, imposait des peines à l'autre, et, par des multitudes de décrets particuliers, exerçait indistinctement tous les actes du gouvernement, le peuple alors n'avait plus de volonté générale proprement dite; il n'agissait plus comme souverain, mais comme magistrat. Ceci paraîtra contraire aux idées communes; mais il faut me laisser le temps d'exposer les miennes.

On doit concevoir par là que ce qui généralise la volonté est moins le nombre des voix que l'intérêt commun qui les unit; car, dans cette institution, chacun se soumet nécessairement aux conditions qu'il impose aux autres; accord admirable de l'intérêt et de la justice, qui donne aux délibérations communes un caractère d'équité qu'on voit s'évanouir dans la discussion de toute affaire particulière, faute d'un intérêt commun qui unisse et identifie la règle du juge avec celle de la partie. Par quelque côté qu'on remonte au principe, on arrive toujours à la même conclusion; savoir, que le pacte social établit entre les citoyens une telle égalité, qu'ils s'engagent tous sous les mêmes conditions et doivent jouir tous des mêmes droits. Ainsi, par la nature du pacte, tout acte de souveraineté, c'est-à-dire tout acte authentique de la volonté générale, oblige ou favorise également tous les citoyens; en sorte que le souverain connaît seulement le corps de la nation, et ne distingue aucun de ceux qui la composent. Qu'est-ce donc proprement qu'un acte de souveraineté? Ce n'est pas une convention du supérieur avec l'inférieur, mais une convention du corps avec chacun de ses membres; convention légitime, parce qu'elle a pour base le contrat social; équitable, parce qu'elle est commune à tous; utile, parce qu'elle ne peut avoir d'autre objet que le bien général; et solide, parce qu'elle a pour garant la force publique et le pouvoir suprême. Tant que les sujets ne sont soumis qu'à de telles conventions, ils n'obéissent' à personne, mais seulement à leur propre volonté: et demander jusqu'où s'étendent les droits respectifs du souverain et des citoyens, c'est demander jusqu'à quel point ceux-ci peuvent s'engager avec eux-mêmes, chacun envers tous, et tous envers chacun d'eux.

On voit par là que le pouvoir souverain, tout absolu, tout sacré, tout inviolable qu'il est, ne passe ni ne peut passer les bornes des conventions générales, et que tout homme peut disposer pleinement de ce qui lui a été laissé de ses biens et de sa liberté par ces conventions; de sorte que le souverain n'est jamais en droit de charger un sujet plus qu'un autre, parce qu'alors, l'affaire devenant particulière, son

but in which I can see neither the law that ought to be followed nor the judge who ought to give the decision. In such a case, it would be absurd to propose to refer the question to an express decision of the general will, which can be only the conclusion reached by one of the parties and in consequence will be, for the other party, merely an external and particular will, inclined on this occasion to injustice and subject to error. Thus, just as a particular will cannot stand for the general will, the general will, in turn, changes its nature, when its object is particular, and, as general, cannot pronounce on a man or a fact. When, for instance, the people of Athens nominated or displaced its rulers, decreed honours to one, and imposed penalties on another, and, by a multitude of particular decrees, exercised all the functions of government indiscriminately, it had in such cases no longer a general will in the strict sense; it was acting no longer as Sovereign, but as magistrate. This will seem contrary to current views; but I must be given time to expound my own. It should be seen from the foregoing that what makes the will general is less the number of voters than the common interest uniting them; for, under this system, each necessarily submits to the conditions he imposes on others: and this admirable agreement between interest and justice gives to the common deliberations an equitable character which at once vanishes when any particular question is discussed, in the absence of a common interest to unite and identify the ruling of the judge with that of the party.

From whatever side we approach our principle, we reach the same conclusion, that the social compact sets up among the citizens an equality of such a kind, that they all bind themselves to observe the same conditions and should therefore all enjoy the same rights. Thus, from the very nature of the compact, every act of Sovereignty, i.e., every authentic act of the general will, binds or favours all the citizens equally; so that the Sovereign recognises only the body of the nation, and draws no distinctions between those of whom it is made up. What, then, strictly speaking, is an act of Sovereignty? It is not a convention between a superior and an inferior, but a convention between the body and each of its members. It is legitimate, because based on the social contract, and equitable, because common to all; useful, because it can have no other object than the general good, and stable, because guaranteed by the public force and the supreme power. So long as the subjects have to submit only to conventions of this sort, they obey no-one but their own will; and to ask how far the respective rights of the Sovereign and the citizens extend, is to ask up to what point the latter can enter into undertakings with themselves, each with all, and all with each.

We can see from this that the sovereign power, absolute, sacred and inviolable as it is, does not and cannot exceed the limits of general conventions, and that every man may dispose at will of such goods and liberty as these conventions leave him; so that the Sovereign never has a right to lay more charges on one subject than on another, because, in that case, the question becomes particular, and ceases to be

ouvoir n'est plus compétent.

Ces distinctions une fois admises, il est si faux que dans le contrat social il y ait de la part des particuliers aucune renonciation véritable, que leur situation, par l'effet de ce contrat, se trouve réellement préférable à ce qu'elle était auparavant, et qu'au lieu d'une aliénation ils n'ont fait qu'un échange avantageux d'une manière d'être incertaine et précaire contre une autre meilleure et plus sûre, de l'indépendance naturelle contre la liberté, du pouvoir de nuire à autrui contre leur propre sûreté, et de leur force, que d'autres pouvaient surmonter, contre un droit que l'union sociale rend invincible. Leur vie même, qu'ils ont dévouée à l'État, en est continuellement protégée; et lorsqu'ils l'exposent pour sa défense, que font-ils alors que lui rendre ce qu'ils ont reçu de lui? Que font-ils qu'ils ne fissent plus fréquemment et avec plus de danger dans l'état de nature, lorsque, livrant des combats inévitables, ils défendraient au péril de leur vie ce qui leur sert à la conserver? Tous ont à combattre, au besoin, pour la patrie, il est vrai; mais aussi nul n'a jamais à combattre pour soi. Ne gagne-t-on pas encore à courir, pour ce qui fait notre sûreté, une partie des risques qu'il faudrait courir pour nous-mêmes sitôt qu'elle nous serait ôtée?

Chapitre 2.5 Du droit de vie et de mort

On demande comment les particuliers, n'ayant point droit de disposer de leur propre vie, peuvent transmettre au souverain ce même droit qu'ils n'ont pas. Cette question ne paraît difficile à résoudre que parce qu'elle est mal posée. Tout homme a droit de risquer sa propre vie pour la conserver. A-t-on jamais dit que celui qui se jette par une fenêtre pour échapper à un incendie soit coupable de suicide? A-t-on même jamais imputé ce crime à celui qui périt dans une tempête dont en s'embarquant il n'ignorait pas le danger?

Le traité social a pour fin la conservation des contractants. Qui veut la fin veut aussi les moyens, et ces moyens sont inséparables de quelques risques, même de quelques pertes. Qui veut conserver sa vie aux dépens des autres doit la donner aussi pour eux quand il faut. Or, le citoyen n'est plus juge du péril auquel la loi veut qu'il s'expose; et quand le prince lui a dit: «Il est expédient à l'État que tu meures», il doit mourir, puisque ce n'est qu'à cette condition qu'il a vécu en sûreté jusqu'alors, et que sa vie n'est plus seulement un bienfait de la nature, mais un don conditionnel de l'État.

La peine de mort infligée aux criminels peut être envisagée à peu près sous le même point de vue- c'est pour n'être pas la victime d'un assassin que l'on consent à mourir si on le devient. Dans ce traité, loin de disposer de sa propre vie, on ne songe qu'à la garantir, et il n'est pas à présumer qu'aucun des contractants prémédite alors de se faire pendre.

within its competency. When these distinctions have once been admitted, it is seen to be so untrue that there is, in the social contract, any real renunciation on the part of the individuals, that the position in which they find themselves as a result of the contract is really preferable to that in which they were before. Instead of a renunciation, they have made an advantageous exchange: instead of an uncertain and precarious way of living they have got one that is better and more secure; instead of natural independence they have got liberty, instead of the power to harm others security for themselves, and instead of their strength, which others might overcome, a right which social union makes invincible. Their very life, which they have devoted to the State, is by it constantly protected; and when they risk it in the State's defence, what more are they doing than giving back what they have received from it? What are they doing that they would not do more often and with greater danger in the state of nature, in which they would inevitably have to fight battles at the peril of their lives in defence of that which is the means of their preservation? All have indeed to fight when their country needs them; but then no one has ever to fight for himself. Do we not gain something by running, on behalf of what gives us our security, only some of the risks we should have to run for ourselves, as soon as we lost it?

Chapter 2.5 The The Right of Life and Death

The question is often asked how individuals, having no right to dispose of their own lives, can transfer to the Sovereign a right which they do not possess. The difficulty of answering this question seems to me to lie in its being wrongly stated. Every man has a right to risk his own life in order to preserve it. Has it ever been said that a man who throws himself out of the window to escape from a fire is guilty of suicide? Has such a crime ever been laid to the charge of him who perishes in a storm because, when he went on board, he knew of the danger? The social treaty has for its end the preservation of the contracting parties. He who wills the end wills the means also, and the means must involve some risks, and even some losses. He who wishes to preserve his life at others' expense should also, when it is necessary, be ready to give it up for their sake. Furthermore, the citizen is no longer the judge of the dangers to which the law-desires him to expose himself; and when the prince says to him: "It is expedient for the State that you should die," he ought to die, because it is only on that condition that he has been living in security up to the present, and because his life is no longer a mere bounty of nature, but a gift made conditionally by the State.

The death-penalty inflicted upon criminals may be looked on in much the same light: it is in order that we may not fall victims to an assassin that we consent to die if we ourselves turn assassins. In this treaty, so far from disposing of our own lives, we think only of securing them, and it is not to be assumed that any of the parties then expects to get hanged.

D'ailleurs, tout malfaiteur, attaquant le droit social, devient par ses forfaits rebelleet traître à la patrie; il cesse d'en être membre en violant ses lois, et même il lui fait la guerre. Alors la conservation de l'État est incompatible avec la sienne; il faut u'un des deux périsse; et quand on fait mourir le coupable, c'est moins comme citoyen que comme ennemi. Les procédures, le jugement, sont les preuves et la déclaration qu'il a rompu le traité social, et par conséquent qu'il n'est plus membre de l'État. Or, comme il s'est reconnu tel, tout au moins par son séjour, il en doit être retranché par l'exil comme infracteur du pacte, ou par la mort comme ennemi public; car un tel ennemi n'est pas une personne morale, c'est un homme; et c'est alors que le droit de la guerre est de tuer le vaincu.

Mais, dira-t-on, la condamnation d'un criminel est un acte particulier. D'accord: aussi cette condamnation n'appartient-elle point au souverain; c'est un droit qu'il peut conférer sans pouvoir l'exercer lui-même. Toutes mes idées se tiennent, mais je ne saurais les exposer toutes à la fois.

Au reste, la fréquence des supplices est toujours un signe de faiblesse ou de paresse dans le gouvernement. Il n'y a point de méchant qu'on ne pût rendre bon à quelque chose. On n'a droit de faire mourir, même pour l'exemple, que celui qu'on ne peut conserver sans danger.

À l'égard du droit de faire grâce ou d'exempter un coupable de la peine portée par la loi et prononcée par le juge, il n'appartient qu'à celui qui est au-dessus du juge et de la loi, c'est-à-dire au souverain; encore son droit en ceci n'est-il pas bien net, et les cas d'en user sont-ils très rares. Dans un État bien gouverné, il y a peu de punitions, non parce qu'on fait beaucoup de grâces, mais parce qu'il y a peu de criminels: la multitude des crimes en assure l'impunité lorsque l'État dépérit. Sous la république romaine, jamais le sénat ni les consuls ne tentèrent de faire grâce; le peuple même n'en faisait pas, quoiqu'il révoquât quelquefois son propre jugement. Les fréquentes grâces annoncent que, bientôt les forfaits n'en auront plus besoin, et chacun voit où cela mène. Mais je sens que mon cœur murmure et retient ma plume: laissons discuter ces questions à l'homme juste qui n'a point failli, et qui jamais n'eut lui-même besoin de grâce.

Again, every malefactor, by attacking social rights, becomes on forfeit a rebel and a traitor to his country; by violating its laws be ceases to be a member of it; he even makes war upon it. In such a case the preservation of the State is inconsistent with his own, and one or the other must perish; in putting the guilty to death, we slay not so much the citizen as an enemy. The trial and the judgment are the proofs that he has broken the social treaty, and is in consequence no longer a member of the State. Since, then, he has recognised himself to be such by living there, he must be removed by exile as a violator of the compact, or by death as a public enemy; for such an enemy is not a moral person, but merely a man; and in such a case the right of war is to kill the vanquished.

But, it will be said, the condemnation of a criminal is a particular act. I admit it: but such condemnation is not a function of the Sovereign; it is a right the Sovereign can confer without being able itself to exert it. All my ideas are consistent, but I cannot expound them all at once.

We may add that frequent punishments are always a sign of weakness or remissness on the part of the government. There is not a single ill-doer who could not be turned to some good. The State has no right to put to death, even for the sake of making an example, any one whom it can leave alive without danger. The right of pardoning or exempting the guilty from a penalty imposed by the law and pronounced by the judge belongs only to the authority which is superior to both judge and law, i.e., the Sovereign; each its right in this matter is far from clear, and the cases for exercising it are extremely rare. In a well-governed State, there are few punishments, not because there are many pardons, but because criminals are rare; it is when a State is in decay that the multitude of crimes is a guarantee of impunity. Under the Roman Republic, neither the Senate nor the Consuls ever attempted to pardon; even the people never did so, though it sometimes revoked its own decision. Frequent pardons mean that crime will soon need them no longer, and no one can help seeing whither that leads. But I feel my heart protesting and restraining my pen; let us leave these questions to the just man who has never offended, and would himself stand in no need of pardon.

Par le pacte social, nous avons donné l'existence et la vie au corps politique: il s'agit maintenant de lui donner le mouvement et la volonté par la législation. Car l'acte primitif par lequel ce corps se forme et s'unit ne détermine rien encore de ce qu'il doit faire pour se conserver.

Ce qui est bien et conforme à l'ordre est tel par la nature des choses et indépendamment des conventions humaines. Toute justice vient de Dieu, lui seul en est la source; mais si nous savions la recevoir de si haut, nous n'aurions besoin ni de gouvernement ni de lois. Sans doute il est une justice universelle émanée de la raison seule; mais cette justice, pour être admise entre nous, doit être réciproque. À considérer humainement les choses, faute de sanction naturelle, les lois de la justice sont vaines parmi les hommes; elles ne font que le bien du méchant et le mal du juste, quand celui-ci les observe avec tout le monde sans que personne les observe avec lui. Il faut donc des conventions et des lois pour unir les droits aux devoirs et ramener la justice à son objet. Dans l'état de nature, où tout est commun, je ne dois rien à ceux à qui je n'ai rien promis; je ne reconnais pour être à autrui que ce qui m'est inutile. Il n'en est pas ainsi dans l'état civil, où tous les droits sont fixés par la loi.

Mais qu'est-ce donc enfin qu'une loi? Tant qu'on se contentera de n'attacher à ce mot que des idées métaphysiques, on continuera de raisonner sans s'entendre, et quand on aura dit ce que c'est qu'une loi de la nature, on n'en saura pas mieux ce que c'est qu'une loi de l'État.

J'ai déjà dit qu'il n'y avait point de volonté générale sur un objet particulier. En effet, cet objet particulier est dans l'État ou hors de l'État. S'il est hors de l'État, une volonté qui lui est étrangère n'est point générale par rapport à lui; et si cet objet est dans l'État, il en fait partie: alors il se forme entre le tout et sa partie une relation qui en fait deux êtres séparés, dont la partie est l'un, et le tout, moins cette même partie, est l'autre. Mais le tout moins une partie n'est point le tout; et tant que ce rapport subsiste, il n'y a plus de tout; mais deux parties inégales: d'où il suit que la volonté de l'une n'est point non plus générale par rapport à l'autre.

Mais quand tout le peuple statue sur tout le peuple, il ne considère que lui-même; et s'il se forme alors un rapport, c'est de l'objet entier sous un point de vue à l'objet entier sous un autre point de vue, sans aucune division du tout. Alors la matière sur laquelle on statue est générale comme la volonté qui statue. C'est cet acte que j'appelle une loi.

Quand je dis que l'objet des lois est toujours général, j'entends que la loi considère les sujets en corps et les actions comme abstraites, jamais un homme comme individu ni une action particulière. Ainsi la loi peut bien statuer qu'il y aura des privilèges, mais elle n'en peut donner nommément à personne; la loi peut faire

Chapter 2.6 Law

By the social compact we have given the body politic existence and life; we have now by legislation to give it movement and will. For the original act by which the body is formed and united still in no respect determines what it ought to do for its preservation.

What is well and in conformity with order is so by the nature of things and independently of human conventions. All justice comes from God, who is its sole source; but if we knew how to receive so high an inspiration, we should need neither government nor laws. Doubtless, there is a universal justice emanating from reason alone; but this justice, to be admitted among us, must be mutual. Humanly speaking, in default of natural sanctions, the laws of justice are ineffective among men: they merely make for the good of the wicked and the undoing of the just, when the just man observes them towards everybody and nobody observes them towards him. Conventions and laws are therefore needed to join rights to duties and refer justice to its object. In the state of nature, where everything is common, I owe nothing to him whom I have promised nothing; I recognise as belonging to others only what is of no use to me. In the state of society all rights are fixed by law, and the case becomes different. But what, after all, is a law? As long as we remain satisfied with attaching purely metaphysical ideas to the word, we shall go on arguing without arriving at an understanding; and when we have defined a law of nature, we shall be no nearer the definition of a law of the State.

I have already said that there can be no general will directed to a particular object. Such an object must be either within or outside the State. If outside, a will which is alien to it cannot be, in relation to it, general; if within, it is part of the State, and in that case there arises a relation between whole and part which makes them two separate beings, of which the part is one, and the whole minus the part the other. But the whole minus a part cannot be the whole; and while this relation persists, there can be no whole, but only two unequal parts; and it follows that the will of one is no longer in any respect general in relation to the other. But when the whole people decrees for the whole people, it is considering only itself; and if a relation is then formed, it is between two aspects of the entire object, without there being any division of the whole. In that case the matter about which the decree is made is, like the decreeing will, general. This act is what I call a law.

When I say that the object of laws is always general, I mean that law considers subjects en masse and actions in the abstract, and never a particular person or action. Thus the law may indeed decree that there shall be privileges, but cannot confer them on anybody by name. It may set up several classes of citizens, and

plusieurs classes de citoyens, assigner même les qualités qui donneront droit à ces classes, mais elle ne peut nommer tels et tels pour y être admis; elle peut établir un gouvernement royal et une succession héréditaire, mais elle ne peut élire un roi, ni nommer une famille royale: en un mot, toute fonction qui se rapporte à un objet individuel n'appartient point à la puissance législative.

Sur cette idée, on voit à l'instant qu'il ne faut plus demander à qui il appartient de faire des lois, puisqu'elles sont des actes de la volonté de faire des lois, puisqu'elles sont des actes de la volonté générale; ni si le prince est au-dessus des lois, puisqu'il est membre de l'État; ni si la loi peut être injuste, puisque nul n'est injuste envers lui-même; ni comment on est libre et soumis aux lois, puisqu'elles ne sont que des registres de nos volontés.

On voit encore que, la loi réunissant l'universalité de la volonté et celle de l'objet, ce qu'un homme, quel qu'il puisse être, ordonne de son chef n'est point une loi: ce qu'ordonne même le souverain sur un objet particulier n'est pas non plus une loi, mais un décret; ni un acte de souveraineté, mais de magistrature.

J'appelle donc république tout État régi par des lois, sous quelque forme d'administration que ce puisse être: car alors seulement l'intérêt public gouverne, et la chose publique est quelque chose. Tout gouvernement légitime est républicain[10]: j'expliquerai ci-après ce que c'est que gouvernement.

Les lois ne sont proprement que les conditions de l'association civile. Le peuple, soumis aux lois, en doit être l'auteur; il n'appartient qu'à ceux qui s'associent de régler les conditions de la société. Mais comment les régleront-ils? Sera-ce d'un commun accord, par une inspiration subite? Le corps politique a-t-il un organe pour énoncer ses volontés? Qui lui donnera la prévoyance nécessaire pour en former les actes et les publier d'avance? ou comment les prononcera-t-il au moment du besoin? Comment une multitude aveugle, qui souvent ne sait ce qu'elle veut, parce qu'elle sait rarement ce qui lui est bon, exécuterait-elle d'elle-même une entreprise aussi grande, aussi difficile qu'un système de législation? De lui-même, le peuple veut toujours le bien, mais de lui-même, il ne le voit pas toujours. La volonté générale est toujours droite, mais, le jugement qui la guide n'est pas toujours éclairé. Il faut lui faire voir les objets tels qu'ils sont, quelquefois tels qu'ils doivent lui paraître, lui montrer le bon chemin qu'elle cherche, la garantir des séductions des volontés particulières, rapprocher à ses yeux les lieux et les temps, balancer l'attrait des avantages présents et sensibles par le danger des maux éloignés et cachés. Les particuliers voient le bien qu'ils rejettent; le public veut le bien qu'il ne voit pas, Tous ont également besoin de guides. Il faut obliger les uns à conformer leurs volontés à leur raison; il faut apprendre à l'autre à

---

10 Je n'entends pas seulement par ce mot une aristocratie ou une démocratie, mais en général tout gouvernement guidé par la volonté générale, qui est la loi. Pour être légitime il ne faut pas que le gouvernement se confonde avec le souverain, mais qu'il en soit le ministre: alors la monarchie elle-même est république. Ceci s'éclaircira dans le livre suivant.

even lay down the qualifications for membership of these classes, but it cannot nominate such and such persons as belonging to them; it may establish a monarchical government and hereditary succession, but it cannot choose a king, or nominate a royal family. In a word, no function which has a particular object belongs to the legislative power. On this view, we at once see that it can no longer be asked whose business it is to make laws, since they are acts of the general will; nor whether the prince is above the law, since he is a member of the State; nor whether the law can be unjust, since no one is unjust to himself; nor how we can be both free and subject to the laws, since they are but registers of our wills.

We see further that, as the law unites universality of will with universality of object, what a man, whoever he be, commands of his own motion cannot be a law; and even what the Sovereign commands with regard to a particular matter is no nearer being a law, but is a decree, an act, not of sovereignty, but of magistracy. I therefore give the name "Republic" to every State that is governed by laws, no matter what the form of its administration may be: for only in such a case does the public interest govern, and the res publica rank as a reality. Every legitimate government is republican[10]; what government is I will explain later on.

Laws are, properly speaking, only the conditions of civil association. The people, being subject to the laws, ought to be their author: the conditions of the society ought to be regulated solely by those who come together to form it. But how are they to regulate them? Is it to be by common agreement, by a sudden inspiration? Has the body politic an organ to declare its will? Who can give it the foresight to formulate and announce its acts in advance? Or how is it to announce them in the hour of need? How can a blind multitude, which often does not know what it wills, because it rarely knows what is good for it, carry out for itself so great and difficult an enterprise as a system of legislation? Of itself the people wills always the good, but of itself it by no means always sees it. The general will is always in the right, but the judgment which guides it is not always enlightened. It must be got to see objects as they are, and sometimes as they ought to appear to it; it must be shown the good road it is in search of, secured from the seductive influences of individual wills, taught to see times and spaces as a series, and made to weigh the attractions of present and sensible advantages against the danger of distant and hidden evils. The individuals see the good they reject; the public wills the good it does not see. All stand equally in need of guidance. The former must be compelled to bring their wills into conformity with their reason; the latter must be taught to

---

10 I understand by this word, not merely an aristocracy or a democracy, but generally any government directed by the general will, which is the law. To be legitimate, the government must be, not one with the Sovereign, but its minister. In such a case even a monarchy is a Republic. This will be made clearer in the following book.

connaître ce qu'il veut. Alors des lumières publiques résulte l'union de l'entendement et de la volonté dans le corps social; de là l'exact concours des parties, et, enfin la plus grande force du tout. Voilà d'où naît la nécessité d'un législateur.

Chapitre 2.7 Du législateur

Pour découvrir les meilleures règles de société qui conviennent aux nations, il faudrait une intelligence supérieure qui vît toutes les passions des hommes, et qui n'en éprouvât aucune; qui n'eût aucun rapport avec notre nature, et qui la connût à fond; dont le bonheur fût indépendant de nous, et qui pourtant voulût bien s'occuper du nôtre; enfin, qui, dans le progrès des temps se ménageant une gloire éloignée, pût travailler dans un siècle et jouir dans un autre[11]. Il faudrait des dieux pour donner des lois aux hommes. Le même raisonnement que faisait Caligula quant au fait, Platon le faisait quant au droit pour définir l'homme civil ou royal qu'il cherche dans son livre du Règne. Mais s'il est vrai qu'un grand prince est un homme rare, que sera-ce d'un grand législateur? Le premier n'a qu'à suivre le modèle que l'autre doit proposer. Celui-ci est le mécanicien qui invente la machine, celui-là n'est que l'ouvrier qui la monte et la fait marcher. «Dans la naissance des sociétés, dit Montesquieu, ce sont les chefs des républiques qui font l'institution et c'est ensuite l'institution qui forme les chefs des républiques.»
Celui qui ose entreprendre d'instituer un peuple doit se sentir en état de changer pour ainsi dire la nature humaine, de transformer chaque individu, qui par lui-même est un tout parfait et solitaire, en partie d'un plus grand tout dont cet individu reçoive en quelque sorte sa vie et son être; d'altérer la constitution de l'homme pour la renforcer; de substituer une existence partielle et morale à l'existence physique et indépendante que nous avons reçue de la nature. Il faut, en un mot, qu'il ôte à l'homme ses forces propres pour lui en donner qui lui soient étrangères, et dont il ne puisse faire usage sans le secours d'autrui. Plus ces forces naturelles sont mortes et anéanties, plus les acquises sont grandes et durables, plus aussi l'institution est solide et parfaite: en sorte que si chaque citoyen n'est rien, ne peut rien que par tous les autres, et que la force acquise par le tout soit égale ou supérieure à la somme des forces naturelles de tous les individus, on peut dire que la législation est au plus haut point de perfection qu'elle puisse atteindre.
Le législateur est à tous égards un homme extraordinaire dans l'État. S'il doit l'être par son génie, il ne l'est pas moins par son emploi. Ce n'est point magistrature, ce n'est point souveraineté. Cet emploi, qui constitue la république, n'entre point

---

11Un peuple ne devient célèbre que quand sa législation commence à décliner. On ignore durant combien de siècles l'institution de Lycurgue fit le bonheur des Spartiates avant qu'il fût question d'eux dans le reste de la Grèce.

know what it wills. If that is done, public enlightenment leads to the union of understanding and will in the social body: the parts are made to work exactly together, and the whole is raised to its highest power. This makes a legislator necessary.

Chapter 2.7 The Legislator

In order to discover the rules of society best suited to nations, a superior intelligence beholding all the passions of men without experiencing any of them would be needed. This intelligence would have to be wholly unrelated to our nature, while knowing it through and through; its happiness would have to be independent of us, and yet ready to occupy itself with ours; and lastly, it would have, in the march of time, to look forward to a distant glory, and, working in one century, to be able to enjoy in the next[11]. It would take gods to give men laws. What Caligula argued from the facts, Plato, in the dialogue called the Politicus, argued in defining the civil or kingly man, on the basis of right. But if great princes are rare, how much more so are great legislators? The former have only to follow the pattern which the latter have to lay down. The legislator is the engineer who invents the machine, the prince merely the mechanic who sets it up and makes it go. "At the birth of societies," says Montesquieu, "the rulers of Republics establish institutions, and afterwards the institutions mould the rulers."

He who dares to undertake the making of a people's institutions ought to feel himself capable, so to speak, of changing human nature, of transforming each individual, who is by himself a complete and solitary whole, into part of a greater whole from which he in a manner receives his life and being; of altering man's constitution for the purpose of strengthening it; and of substituting a partial and moral existence for the physical and independent existence nature has conferred on us all. He must, in a word, take away from man his own resources and give him instead new ones alien to him, and incapable of being made use of without the help of other men. The more completely these natural resources are annihilated, the greater and the more lasting are those which he acquires, and the more stable and perfect the new institutions; so that if each citizen is nothing and can do nothing without the rest, and the resources acquired by the whole are equal or superior to the aggregate of the resources of all the individuals, it may be said that legislation is at the highest possible point of perfection.

The legislator occupies in every respect an extraordinary position in the State. If he should do so by reason of his genius, he does so no less by reason of his office, which is neither magistracy, nor Sovereignty. This office, which sets up the

---

11 A people becomes famous only when its legislation begins to decline. We do not know for how many centuries the system of Lycurgus made the Spartans happy before the rest of Greece took any notice of it.

dans sa constitution; c'est une fonction particulière et supérieure qui n'a rien de commun avec l'empire humain; car si celui qui commande aux hommes ne doit pas commander aux lois, celui qui commande aux lois ne doit pas non plus commander aux hommes: autrement ces lois, ministres de ses passions, ne feraient souvent que perpétuer ses injustices; jamais il ne pourrait éviter que des vues particulières n'altérassent la sainteté de son ouvrage.

Quand Lycurgue donna des lois à sa patrie, il commença par abdiquer la royauté. C'était la coutume de la plupart des villes grecques de confier à des étrangers l'établissement des leurs. Les républiques modernes de l'Italie imitèrent souvent cet usage; celle de Genève en fit autant et s'en trouva bien.[12] Rome, dans son plus bel âge, vit renaître en son sein tous les crimes de la tyrannie, et se vit prête à périr, pour avoir réuni sur les mêmes têtes l'autorité législative et le pouvoir souverain. Cependant les décemvirs eux-mêmes ne s'arrogèrent jamais le droit de faire passer aucune loi de leur seule autorité. «Rien de ce que nous vous proposons, disaient-ils au peuple, ne peut passer en loi sans votre consentement. Romains, soyez vous-mêmes les auteurs des' lois qui doivent faire votre bonheur.»

Celui qui rédige les lois n'a donc ou ne doit avoir aucun droit législatif, et le peuple même ne peut, quand il le voudrait, se dépouiller de ce droit incommunicable, parce que, selon le pacte fondamental, il n'y a que la volonté générale qui oblige les particuliers, et qu'on ne peut jamais s'assurer qu'une volonté particulière est conforme à la volonté générale qu'après l'avoir soumise aux suffrages libres du peuple: j'ai déjà dit cela; mais il n'est pas inutile de le répéter.

Ainsi l'on trouve à la fois dans l'ouvrage de la législation deux choses qui semblent incompatibles; une entreprise au-dessus de la force humaine, et, pour l'exécuter, une autorité qui n'est rien.

Autre difficulté qui mérite attention. Les sages qui veulent parler au vulgaire leur langage au lieu du sien n'en sauraient être entendus. Or, il y a mille sortes d'idées qu'il est impossible de traduire dans la langue du peuple. Les vues trop générales et les objets trop éloignés sont également hors de sa portée: chaque individu, ne goûtant d'autre plan de gouvernement que celui qui se rapporte à son intérêt particulier, aperçoit difficilement les avantages qu'il doit retirer des privations continuelles qu'imposent les bonnes lois. Pour qu'un peuple naissant pût goûter les saines maximes de la politique et suivre les règles fondamentales de la raison d'État, il faudrait que l'effet pût devenir la cause; que l'esprit social, qui doit être l'ouvrage de l'institution, présidât à l'institution même; et que les hommes fussent avant les lois ce qu'ils doivent devenir par elles. Ainsi donc le législateur ne pouvant

---

12 Ceux qui ne considèrent Calvin que comme théologien connaissent mal l'étendue de son génie. La rédaction de nos sages édits, à laquelle il eut beaucoup de part, lui fait autant déshonneur que son institution. Quelque révolution que le temps puisse amener dans notre culte, tant que l'amour de la patrie et de la liberté ne sera pas éteint parmi nous, jamais la mémoire de ce grand homme ne cessera d'y être en bénédiction.

Republic, nowhere enters into its constitution; it is an individual and superior function, which has nothing in common with human empire; for if he who holds command over men ought not to have command over the laws, he who has command over the laws ought not any more to have it over men; or else his laws would be the ministers of his passions and would often merely serve to perpetuate his injustices: his private aims would inevitably mar the sanctity of his work.

When Lycurgus gave laws to his country, he began by resigning the throne. It was the custom of most Greek towns to entrust the establishment of their laws to foreigners. The Republics of modern Italy in many cases followed this example; Geneva did the same and profited by it.[12] Rome, when it was most prosperous, suffered a revival of all the crimes of tyranny, and was brought to the verge of destruction, because it put the legislative authority and the sovereign power into the same hands.

Nevertheless, the decemvirs themselves never claimed the right to pass any law merely on their own authority. "Nothing we propose to you," they said to the people, "can pass into law without your consent. Romans, be yourselves the authors of the laws which are to make you happy."

He, therefore, who draws up the laws has, or should have, no right of legislation, and the people cannot, even if it wishes, deprive itself of this incommunicable right, because, according to the fundamental compact, only the general will can bind the individuals, and there can be no assurance that a particular will is in conformity with the general will, until it has been put to the free vote of the people. This I have said already; but it is worth while to repeat it.

Thus in the task of legislation we find together two things which appear to be incompatible: an enterprise too difficult for human powers, and, for its execution, an authority that is no authority. There is a further difficulty that deserves attention. Wise men, if they try to speak their language to the common herd instead of its own, cannot possibly make themselves understood. There are a thousand kinds of ideas which it is impossible to translate into popular language. Conceptions that are too general and objects that are too remote are equally out of its range: each individual, having no taste for any other plan of government than that which suits his particular interest, finds it difficult to realise the advantages he might hope to draw from the continual privations good laws impose. For a young people to be able to relish sound principles of political theory and follow the fundamental rules of statecraft, the effect would have to become the cause; the social spirit, which should be created by these institutions, would have to preside over their very foundation; and men would have to be before law what they should

---

12 Those who know Calvin only as a theologian much under-estimate the extent of his genius. The codification of our wise edicts, in which he played a large part, does him no less honour than his Institute. Whatever revolution time may bring in our religion, so long as the spirit of patriotism and liberty still lives among us, the memory of this great man will be for ever blessed.

employer ni la force ni le raisonnement, c'est une nécessité qu'il recoure à une autorité d'un autre ordre, qui puisse entraîner sans violence et persuader sans convaincre.

Voilà ce qui força de tout temps les pères des nations de recourir à l'intervention du ciel et d'honorer les dieux de leur propre sagesse, afin que les peuples soumis aux lois de l'État comme à celles de la nature, et reconnaissant le même pouvoir dans la formation de l'homme et dans celle de la cité, obéissent avec liberté, et portassent docilement le joug de la félicité publique.

Cette raison sublime, qui s'élève au-dessus de la portée des hommes vulgaires, est celle dont le législateur met les décisions dans la bouche des immortels, pour entraîner par l'autorité divine ceux que ne pourrait ébranler la prudence humaine[13]. Mais il n'appartient pas à tout homme de faire parler les dieux, ni d'en être cru quand il s'annonce pour être leur interprète. Le grande âme du législateur est le vrai miracle qui doit prouver sa mission. Tout homme peut graver des tables de pierre, ou acheter un oracle, ou feindre un secret commerce avec quelque divinité,' ou dresser un oiseau' pour lui parler à l'oreille, ou trouver d'autres moyens grossiers d'en imposer au peuple. Celui qui ne saura que cela pourra même assembler par hasard une troupe d'insensés -mais il ne fondera jamais un empire, et son extravagant ouvrage périra bientôt avec lui. De vains prestiges forment un lien passager; il n'y a que la sagesse qui le rende durable. La loi judaïque, toujours subsistante, celle de l'enfant d'Ismaël, qui depuis dix siècles régit la moitié du monde, annoncent encore aujourd'hui les grands hommes qui les ont dictées; et tandis que l'orgueilleuse philosophie ou l'aveugle esprit de parti ne voit en eux que d'heureux imposteurs, le vrai politique admire dans leurs institutions ce grand et puissant génie qui préside aux établissements durables.

Il ne faut pas, de tout ceci, conclure avec Warburton, que la politique et la religion aient parmi nous un objet commun, mais que, dans l'origine des nations, l'une sert d'instrument à l'autre.

Chapitre 2.8 Du peuple

Comme, avant d'élever un grand édifice, l'architecte observe et sonde le sol pour voir s'il en peut soutenir le poids, le sage instituteur ne commence pas par rédiger de bonnes lois elles-mêmes, mais il examine auparavant si le peuple auquel il les destine est propre à les supporter. C'est pour cela que Platon refusa de donner des lois aux Arcadiens et aux Cyréniens, sachant que ces deux peuples étaient riches et ne pouvaient souffrir l'égalité: c'est pour cela qu'on vit en Crète de bonnes lois et de méchants hommes, parce que Minos n'avait discipliné qu'un peuple chargé de vices.

---

13 *E veramente*, dit Machiavel, *mai non fù alcuno ordinatore di leggi straordinarie in un popolo, che non ricorresse a Dio, perche altrimenti non sarebbero accettate; perche sono molti beni conosciuti da uno prudente, i quali non hanno in se raggioni evidenti da potergli persuadere ad altrui*. Discorsi sopra Tito Livio, L. I, c. XI.

become by means of law. The legislator therefore, being unable to appeal to either force or reason, must have recourse to an authority of a different order, capable of constraining without violence and persuading without convincing.

This is what has, in all ages, compelled the fathers of nations to have recourse to divine intervention and credit the gods with their own wisdom, in order that the peoples, submitting to the laws of the State as to those of nature, and recognising the same power in the formation of the city as in that of man, might obey freely, and bear with docility the yoke of the public happiness.

This sublime reason, far above the range of the common herd, is that whose decisions the legislator puts into the mouth of the immortals, in order to constrain by divine authority those whom human prudence could not move[13]. But it is not anybody who can make the gods speak, or get himself believed when he proclaims himself their interpreter. The great soul of the legislator is the only miracle that can prove his mission. Any man may grave tablets of stone, or buy an oracle, or feign secret intercourse with some divinity, or train a bird to whisper in his ear, or find other vulgar ways of imposing on the people. He whose knowledge goes no further may perhaps gather round him a band of fools; but he will never found an empire, and his extravagances will quickly perish with him. Idle tricks form a passing tie; only wisdom can make it lasting. The Judaic law, which still subsists, and that of the child of Ishmael, which, for ten centuries, has ruled half the world, still proclaim the great men who laid them down; and, while the pride of philosophy or the blind spirit of faction sees in them no more than lucky impostures, the true political theorist admires, in the institutions they set up, the great and powerful genius which presides over things made to endure.

We should not, with Warburton, conclude from this that politics and religion have among us a common object, but that, in the first periods of nations, the one is used as an instrument for the other.

Chapter 2.8 The People

As, before putting up a large building, the architect surveys and sounds the site to see if it will bear the weight, the wise legislator does not begin by laying down laws good in themselves, but by investigating the fitness of the people, for which they are destined, to receive them. Plato refused to legislate for the Arcadians and the Cyrenéans, because he knew that both peoples were rich and could not put up with equality; and good laws and bad men were found together in Crete, because Minos had inflicted discipline on a people already burdened with vice.

---

13 "In truth," says Machiavelli, "there has never been, in any country, an extraordinary legislator who has not had recourse to God; for otherwise his laws would not have been accepted: there are, in fact, many useful truths of which a wise man may have knowledge without their having in themselves such clear reasons for their being so as to be able to convince others" (Discourses on Livy, Bk. v, ch. xi).

Mille nations ont brillé sur la terre, qui n'auraient jamais pu souffrir de bonnes lois; et celles même qui l'auraient pu n'ont eu, dans toute leur durée, qu'un temps fort court pour cela. La plupart des peuples, ainsi que des hommes, ne sont dociles que dans leur jeunesse; ils deviennent incorrigibles en vieillissant. Quand une fois les coutumes sont établies et les préjugés enracinés, c'est une entreprise dangereuse et vaine de vouloir les réformer; le peuple ne peut pas même souffrir qu'on touche à ses maux pour les détruire, semblable à ces malades stupides et sans courage qui frémissent à l'aspect du médecin.

Ce n'est pas que, comme quelques maladies bouleversent la tête des hommes et leur ôtent le souvenir du passé, il ne se trouve quelquefois dans la durée des États des époques violentes où les révolutions font sur les peuples ce que certaines crises font sur les individus, où l'horreur du passé tient lieu d'oubli, et où l'État, embrasé par les guerres civiles, renaît pour ainsi dire de sa cendre, et reprend la vigueur de la jeunesse en sortant des bras de la mort. Telle fut Sparte au temps de Lycurgue, telle fut Rome après les Tarquins, et telles ont été parmi nous la Hollande et la Suisse après l'expulsion des tyrans.

Mais ces événements sont rares; ce sont des exceptions dont la raison se trouve toujours dans la constitution particulière de l'État excepté. Elles ne sauraient même avoir lieu deux fois pour le même peuple: car il peut se rendre libre tant qu'il n'est que barbare, mais il ne le peut plus quand le ressort civil est usé.

Alors les troubles peuvent le détruire sans que les révolutions puissent le rétablir; et, sitôt que ses fers sont brisés, il tombe épars et n'existe plus: il lui faut désormais un maître et non pas un libérateur. Peuples libres, souvenez-vous de cette maxime: «On peut acquérir la liberté, mais on ne la recouvre jamais.»

La jeunesse n'est pas l'enfance. Il est pour les nations comme pour les hommes un temps de jeunesse ou, si l'on veut, de maturité, qu'il faut attendre avant de les soumettre à des lois: mais la maturité d'un peuple n'est pas toujours facile à connaître; et si on la prévient, l'ouvrage est manqué. Tel peuple est disciplinable en naissant, tel autre ne l'est pas au bout de dix siècles. Les Russes ne seront jamais vraiment policés, parce qu'ils l'ont été trop tôt. Pierre avait le génie imitatif; il n'avait pas le vrai génie, celui qui crée et fait tout de rien. Quelques-unes des choses qu'il fit étaient bien, la plupart étaient déplacées. Il a vu que son peuple était barbare, il n'a point vu qu'il n'était pas mûr pour la police; il a voulu civiliser quand il ne fallait que l'aguerrir. Il a d'abord voulu faire des Allemands, des Anglais, quand il fallait commencer par faire des Russes: il a empêché ses sujets de devenir jamais ce qu'ils pourraient être, en leur persuadant qu'ils étaient ce qu'ils ne sont pas. C'est ainsi qu'un précepteur français forme son élève pour briller au moment de son enfance, et puis n'être jamais rien. L'empire de Russie voudra subjuguer l'Europe, et sera subjugué lui-même. Les Tartares, ses sujets ou ses voisins, deviendront ses maîtres et les nôtres, cette révolution me paraît infaillible. Tous les rois de l'Europe travaillent de concert à l'accélérer.

A thousand nations have achieved earthly greatness, that could never have endured good laws; even such as could have endured them could have done so only for a very brief period of their long history. Most peoples, like most men, are docile only in youth; as they grow old they become incorrigible. When once customs have become established and prejudices inveterate, it is dangerous and useless to attempt their reformation; the people, like the foolish and cowardly patients who rave at sight of the doctor, can no longer bear that any one should lay hands on its faults to remedy them.

There are indeed times in the history of States when, just as some kinds of illness turn men's heads and make them forget the past, periods of violence and revolutions do to peoples what these crises do to individuals: horror of the past takes the place of forgetfulness, and the State, set on fire by civil wars, is born again, so to speak, from its ashes, and takes on anew, fresh from the jaws of death, the vigour of youth. Such were Sparta at the time of Lycurgus, Rome after the Tarquins, and, in modern times, Holland and Switzerland after the expulsion of the tyrants.

But such events are rare; they are exceptions, the cause of which is always to be found in the particular constitution of the State concerned. They cannot even happen twice to the same people, for it can make itself free as long as it remains barbarous, but not when the civic impulse has lost its vigour. Then disturbances may destroy it, but revolutions cannot mend it: it needs a master, and not a liberator. Free peoples, be mindful of this maxim: "Liberty may be gained, but can never be recovered."

Youth is not infancy. There is for nations, as for men, a period of youth, or, shall we say, maturity, before which they should not be made subject to laws; but the maturity of a people is not always easily recognisable, and, if it is anticipated, the work is spoilt. One people is amenable to discipline from the beginning; another, not after ten centuries. Russia will never be really civilised, because it was civilised too soon. Peter had a genius for imitation; but he lacked true genius, which is creative and makes all from nothing. He did some good things, but most of what he did was out of place. He saw that his people was barbarous, but did not see that it was not ripe for civilisation: he wanted to civilise it when it needed only hardening. His first wish was to make Germans or Englishmen, when he ought to have been making Russians; and he prevented his subjects from ever becoming what they might have been by persuading them that they were what they are not. In this fashion too a French teacher turns out his pupil to be an infant prodigy, and for the rest of his life to be nothing whatsoever. The empire of Russia will aspire to conquer Europe, and will itself be conquered. The Tartars, its subjects or neighbours, will become its masters and ours, by a revolution which I regard as inevitable. Indeed, all the kings of Europe are working in concert to hasten its coming.

Chapitre 2.9 Suite

Comme la nature a donné des termes à la stature d'un homme bien conformé, passé lesquels elle ne fait plus que des géants ou des nains, il y a de même, eu égard à la meilleure constitution d'un État, des bornes à l'étendue qu'il peut avoir, afin qu'il ne soit ni trop grand pour pouvoir être bien gouverné, ni trop petit pour pouvoir se maintenir par lui-même. Il y a, dans tout corps politique, un maximum de force qu'il ne saurait passer, et duquel souvent il s'éloigne à force de s'agrandir. Plus le lien social s'étend, plus il se relâche; et en général un petit État est proportionnelle. ment plus fort qu'un grand.

Mille raisons démontrent cette maxime. Premièrement, l'administration devient plus pénible dans les grandes distances, comme un poids devient plus lourd au bout d'un plus grand levier. Elle devient aussi plus onéreuse à mesure que les degrés se multiplient: car chaque ville a d'abord la sienne, que le peuple paye; chaque district la sienne, encore payée par le peuple; ensuite chaque province, puis les grands gouvernements, les satrapies, les vice-royautés, qu'il faut toujours payer plus cher à mesure qu'on monte, et toujours aux dépens du malheureux peuple; enfin vient l'administration suprême, qui écrase tout. Tant de surcharges épuisent continuellement les sujets: loin d'être mieux gouvernés par tous ces différents ordres, ils le sont bien moins que s'il n'y en avait qu'un seul au-dessus d'eux. Cependant à peine reste-t-il des ressources pour les cas extraordinaires; et quand il y faut recourir, l'État est toujours à la veille de sa ruine.

Ce n'est pas tout: non seulement le gouvernement a moins de vigueur et de célérité pour faire observer les lois, empêcher les vexations, corriger les abus, prévenir les entreprises séditieuses qui peuvent se faire dans des lieux éloignés; mais le peuple a moins d'affection pour ses chefs, qu'il ne voit jamais, pour la patrie, qui est à ses yeux comme le monde, et pour ses concitoyens, dont la plupart lui sont étrangers. Les mêmes lois ne peuvent convenir à tant de provinces; diverses qui ont des mœurs différentes, qui vivent sous des climats opposés, et qui ne peuvent souffrir la même forme de gouvernement. Des lois différentes n'engendrent que trouble et confusion parmi des. peuples qui, vivant sous les mêmes chefs et dans une communication continuelle, passent ou se marient les uns chez les autres, sont soumis à d'autres coutumes, ne savent jamais si leur patrimoine est bien à eux. Les talents sont enfouis, les vertus ignorées, les vices impunis, dans cette multitude d'hommes inconnus les uns aux autres, que le siège de l'administration suprême rassemble dans un même lieu. Les chefs, accablés d'affaires, ne voient rien par eux-mêmes; des commis gouvernent l'État. Enfin les mesures qu'il faut prendre pour maintenir l'autorité générale, à laquelle tant d'officiers éloignés veulent se soustraire ou en imposer, absorbent tous les soins publics; il n'en reste plus pour le bonheur du peuple, à peine en reste-t-il pour sa défense, au besoin; et c'est ainsi

Chapter 2.9 The People (continued)

As nature has set bounds to the stature of a well-made man, and, outside those limits, makes nothing but giants or dwarfs, similarly, for the constitution of a State to be at its best, it is possible to fix limits that will make it neither too large for good government, nor too small for self-maintenance. In every body politic there is a maximum strength which it cannot exceed and which it only loses by increasing in size. Every extension of the social tie means its relaxation; and, generally speaking, a small State is stronger in proportion than a great one.

A thousand arguments could be advanced in favour of this principle. First, long distances make administration more difficult, just as a weight becomes heavier at the end of a longer lever. Administration therefore becomes more and more burdensome as the distance grows greater; for, in the first place, each city has its own, which is paid for by the people: each district its own, still paid for by the people: then comes each province, and then the great governments, satrapies, and vice-royalties, always costing more the higher you go, and always at the expense of the unfortunate people. Last of all comes the supreme administration, which eclipses all the rest. All these over charges are a continual drain upon the subjects; so far from being better governed by all these different orders, they are worse governed than if there were only a single authority over them. In the meantime, there scarce remain resources enough to meet emergencies; and, when recourse must be had to these, the State is always on the eve of destruction.

This is not all; not only has the government less vigour and promptitude for securing the observance of the laws, preventing nuisances, correcting abuses, and guarding against seditious undertakings begun in distant places; the people has less affection for its rulers, whom it never sees, for its country, which, to its eyes, seems like the world, and for its fellow-citizens, most of whom are unknown to it. The same laws cannot suit so many diverse provinces with different customs, situated in the most various climates, and incapable of enduring a uniform government. Different laws lead only to trouble and confusion among peoples which, living under the same rulers and in constant communication one with another, intermingle and intermarry, and, coming under the sway of new customs, never know if they can call their very patrimony their own. Talent is buried, virtue unknown and vice unpunished, among such a multitude of men who do not know one another, gathered together in one place at the seat of the central administration. The leaders, overwhelmed with business, see nothing for themselves; the State is governed by clerks. Finally, the measures which have to be taken to maintain the general authority, which all these distant officials wish to escape or to impose upon, absorb all the energy of the public, so that there is none left for the happiness of the people. There is hardly enough to defend it when need

qu'un corps trop grand pour sa constitution s'affaisse et périt écrasé sous son propre poids.

D'un autre côté, l'État doit se donner une certaine base pour avoir de la solidité, pour résister aux secousses qu'il ne manquera pas d'éprouver, et aux efforts qu'il sera contraint de faire pour se soutenir: car tous les peuples ont une espèce de force centrifuge, par laquelle ils agissent continuellement les uns contre les autres, et tendent à s'agrandir aux dépens de leurs voisins, comme les tourbillons de Descartes. Ainsi les faibles risquent d'être bientôt engloutis; et nul ne peut guère se conserver qu'en se mettant avec tous dans une espèce d'équilibre qui rende la compression partout à peu près égale.

On voit par là qu'il y a des raisons de s'étendre et des raisons de se resserrer; et ce n'est pas le moindre talent du politique de trouver entre les unes et les autres la proportion la plus avantageuse à la conservation de l'État. On peut dire en général que les premières n'étant qu'extérieures et relatives, doivent être subordonnées aux autres, qui sont internes et absolues. Une saine et forte constitution est la première chose qu'il faut rechercher; et l'on doit plus compter sur la vigueur qui naît d'un bon gouvernement que sur les ressources que fournit un grand territoire.

Au reste, on a vu des États tellement constitués, que la nécessité des conquêtes entrait dans leur constitution même, et que, pour se maintenir, ils étaient forcés de s'agrandir sans cesse. Peut-être se félicitaient-ils beaucoup de cette heureuse nécessité, qui leur montrait pourtant, avec le terme de leur grandeur, l'inévitable moment de leur chute.

Chapitre 2.10 Suite

On peut mesurer un corps politique de deux manières, savoir: par l'étendue du territoire, et par le nombre du peuple; et il y a entre l'une et l'autre de ces mesures un rapport convenable pour donner à l'État sa véritable grandeur. Ce sont les hommes qui font l'État, et c'est le terrain qui nourrit les hommes: ce rapport est donc que la terre suffise à l'entretien de ses habitants, et qu'il y ait autant d'habitants que la terre en peut nourrir. C'est dans cette proportion. que se trouve le maximum d'un nombre donné de peuple; car s'il y a du terrain de trop, la garde en est onéreuse, la culture insuffisante, le produit superflu; c'est la cause prochaine des guerres défensives: s'il n'y en a pas assez, l'État se trouve pour le supplément à la discrétion de ses voisins; c'est la cause prochaine des guerres offensives. Tout peuple qui n'a, par sa position, que l'alternative entre le commerce ou la guerre, est faible en lui-même; il dépend de ses voisins, il, dépend des événements; il n'a jamais qu'une existence incertaine et courte. Il subjugue et change de situation, ou il est subjugué et n'est rien. Il ne peut se conserver libre qu'à force de petitesse ou de grandeur.

arises, and thus a body which is too big for its constitution gives way and falls crushed under its own weight.

Again, the State must assure itself a safe foundation, if it is to have stability, and to be able to resist the shocks it cannot help experiencing, as well as the efforts it will be forced to make for its maintenance; for all peoples have a kind of centrifugal force that makes them continually act one against another, and tend to aggrandise themselves at their neighbours' expense, like the vortices of Descartes. Thus the weak run the risk of being soon swallowed up; and it is almost impossible for any one to preserve itself except by putting itself in a state of equilibrium with all, so that the pressure is on all sides practically equal. It may therefore be seen that there are reasons for expansion and reasons for contraction; and it is no small part of the statesman's skill to hit between them the mean that is most favourable to the preservation of the State. It may be said that the reason for expansion, being merely external and relative, ought to be subordinate to the reasons for contraction, which are internal and absolute. A strong and healthy constitution is the first thing to look for; and it is better to count on the vigour which comes of good government than on the resources a great territory furnishes.

It may be added that there have been known States so constituted that the necessity of making conquests entered into their very constitution, and that, in order to maintain themselves, they were forced to expand ceaselessly. It may be that they congratulated themselves greatly on this fortunate necessity, which none the less indicated to them, along with the limits of their greatness, the inevitable moment of their fall.

Chapter 2.10 The People (continued)

A body politic may be measured in two ways — either by the extent of its territory, or by the number of its people; and there is, between these two measurements, a right relation which makes the State really great. The men make the State, and the territory sustains the men; the right relation therefore is that the land should suffice for the maintenance of the inhabitants, and that there should be as many inhabitants as the land can maintain. In this proportion lies the maximum strength of a given number of people; for, if there is too much land, it is troublesome to guard and inadequately cultivated, produces more than is needed, and soon gives rise to wars of defence; if there is not enough, the State depends on its neighbours for what it needs over and above, and this soon gives rise to wars of offence. Every people, to which its situation gives no choice save that between commerce and war, is weak in itself: it depends on its neighbours, and on circumstances; its existence can never be more than short and uncertain. It either conquers others, and changes its situation, or it is conquered and becomes nothing. Only insignificance or greatness can keep it free.

On ne peut donner en calcul un rapport fixe entre l'étendue de terre et le nombre d'hommes qui se suffisent l'un à l'autre, tant à cause des différences qui se trouvent dans les qualités du terrain, dans ses degrés de fertilité, dans la nature de ses productions, dans l'influence des climats, que de celles qu'on remarque dans les tempéraments des hommes qui les habitent, dont les uns consomment peu dans un pays fertile, les autres beaucoup sur un sol ingrat. Il faut encore avoir égard à la plus grande ou moindre fécondité des femmes, à ce que le pays peut avoir de plus ou moins favorable à la population, à la quantité dont lie législateur peut espérer d'y concourir par ses établissements, de sorte qu'il ne doit pas fonder son jugement sur ce qu'il voit, mais sur ce qu'il prévoit, ni s'arrêter autant à l'état actuel de la population qu'à celui où elle doit naturellement parvenir. Enfin, il y a mille occasions où les accidents particuliers du lieu exigent ou permettent qu'on embrasse plus de terrain qu'il ne pariait nécessaire. Ainsi l'on s'étendra beaucoup dans un pays de montagnes, où les productions naturelles, savoir, les biais, les pâturages, demandent moins de travail, où l'expérience apprend que les femmes sont plus fécondes que dans les Plaines, et où un grand sol incliné ne donne qu'une petite base horizontale, la seule qu'il faut compter pour la végétation. Au contraire, on peut se resserrer au bord de la mer, même dans des rochers et des sables presque stériles, parce que la pêche y peut suppléer en grande partie aux productions de la terre, que les hommes doivent être plus rassemblés pour repousser les pirates, et qu'on a d'ailleurs plus de facilité pour délivrer le pays, par les colonies, des habitants dont il est surchargé.

À ces conditions pour instituer un peuple, il en faut ajouter une qui ne peut suppléer à nulle autre, mais sans laquelle elles sont toutes inutiles: c'est qu'on jouisse de l'abondance et de la paix; car le temps où s'ordonne un État est, comme celui où se forme un bataillon, l'instant où le corps est le moins capable de résistance et le plus facile à détruire. On résisterait mieux dans un désordre absolu que dans un moment de fermentation, où chacun s'occupe de son rang et non du péril. Qu'une guerre, une famine, une sédition survienne en ce temps de crise, l'État est infailliblement renversé.

Ce n'est pas qu'il n'y ait beaucoup de gouvernements établis durant ces orages; mais alors ce sont ces gouvernements mêmes qui détruisent l'État. Les usurpateurs amènent ou choisissent toujours ces temps de trouble pour faire passer, à la faveur de l'effroi public, des lois destructives que le peuple n'adopterait jamais de sang-froid. Le choix du moment de l'institution est un des caractères les plus sûrs par lesquels on peut distinguer l'œuvre du législateur d'avec celle du tyran.

Quel peuple est donc propre à la législation? Celui qui, se trouvant déjà lié par quelque union d'origine, d'intérêt ou de convention, n'a point encore porté le vrai joug des lois; celui qui n'a ni coutumes, ni superstitions bien enracinées; celui qui ne craint pas d'être accablé par une invasion subite; qui, sans entrer dans les querelles de ses voisins, peut résister seul à chacun d'eux, ou s'aider de l'un pour

No fixed relation can be stated between the extent of territory and the population that are adequate one to the other, both because of the differences in the quality of land, in its fertility, in the nature of its products, and in the influence of climate, and because of the different tempers of those who inhabit it; for some in a fertile country consume little, and others on an ungrateful soil much. The greater or less fecundity of women, the conditions that are more or less favourable in each country to the growth of population, and the influence the legislator can hope to exercise by his institutions, must also be taken into account. The legislator therefore should not go by what he sees, but by what he foresees; he should stop not so much at the state in which he actually finds the population, as at that to which it ought naturally to attain. Lastly, there are countless cases in which the particular local circumstances demand or allow the acquisition of a greater territory than seems necessary. Thus, expansion will be great in a mountainous country, where the natural products, i.e., woods and pastures, need less labour, where we know from experience that women are more fertile than in the plains, and where a great expanse of slope affords only a small level tract that can be counted on for vegetation. On the other hand, contraction is possible on the coast, even in lands of rocks and nearly barren sands, because there fishing makes up to a great extent for the lack of land-produce, because the inhabitants have to congregate together more in order to repel pirates, and further because it is easier to unburden the country of its superfluous inhabitants by means of colonies.

To these conditions of law-giving must be added one other which, though it cannot take the place of the rest, renders them all useless when it is absent. This is the enjoyment of peace and plenty; for the moment at which a State sets its house in order is, like the moment when a battalion is forming up, that when its body is least capable of offering resistance and easiest to destroy. A better resistance could be made at a time of absolute disorganisation than at a moment of fermentation, when each is occupied with his own position and not with the danger. If war, famine, or sedition arises at this time of crisis, the State will inevitably be overthrown. Not that many governments have not been set up during such storms; but in such cases these governments are themselves the State's destroyers. Usurpers always bring about or select troublous times to get passed, under cover of the public terror, destructive laws, which the people would never adopt in cold blood. The moment chosen is one of the surest means of distinguishing the work of the legislator from that of the tyrant.

What people, then, is a fit subject for legislation? One which, already bound by some unity of origin, interest, or convention, has never yet felt the real yoke of law; one that has neither customs nor superstitions deeply ingrained, one which stands in no fear of being overwhelmed by sudden invasion; one which, without entering into its neighbours' quarrels, can resist each of them single-handed, or get the help of one to repel another; one in which every member may be known by every other,

repousser l'autre; celui dont chaque membre peut être connu de tous et où l'on n'est point forcé de charger un homme d'un plus grand fardeau qu'un homme ne peut porter; celui qui peut se passer des autres peuples, et dont tout autre peuple peut se passer[14]; celui qui n'est ni riche ni pauvre, et peut se suffire à lui-même; enfin celui qui réunit la consistance d'un ancien peuple avec la docilité d'un peuple nouveau. Ce qui rend pénible l'ouvrage de la législation est moins ce qu'il faut établir que ce qu'il faut détruire; et ce qui rend le succès si rare, c'est l'impossibilité de trouver la simplicité de la nature jointe aux besoins de la société. Toutes ces conditions, il est vrai, se trouvent difficilement rassemblées: aussi voit-on peu d'États bien constitués.

Il est encore en Europe un pays capable de législation; c'est l'île de Corse. La valeur et la constance avec laquelle ce brave peuple a su recouvrer et défendre sa liberté mériteraient bien que quelque homme sage lui apprît à la conserver. J'ai quelque pressentiment qu'un jour cette petite île étonnera l'Europe.

Chapitre 2.11 Des divers systèmes de législation

Si l'on recherche en quoi consiste précisément le plus grand bien de tous, qui doit être la fin de tout système de législation, on trouvera qu'il se réduit à deux objets principaux, la liberté et l'égalité: la liberté, parce que toute dépendance particulière est autant de force ôtée au corps de l'État; l'égalité, parce que la liberté ne peut subsister sans elle.

J'ai déjà dit ce que c'est que la liberté civile: à l'égard de l'égalité, il ne faut pas entendre par ce mot que les degrés de puissance et de richesse soient absolument les mêmes; mais que, quant à la puissance, elle soit au-dessus de toute violence, et ne s'exerce jamais qu'en vertu du rang et des lois; et, quant à la richesse, que nul citoyen ne soit assez opulent pour en pouvoir acheter un, autre, et nul assez pauvre pour être contraint de se vendre[15]: ce qui suppose, du côté des grands, modération de biens et de crédit, et, du côté des petits, modération d'avarice et de convoitise. Cette égalité, disent-ils, est une chimère de spéculation qui ne peut exister dans la pratique. Mais si l'abus est inévitable, s'ensuit-il qu'il ne faille pas au moins le régler? C'est précisément parce que la force des choses tend toujours à détruire l'égalité, que la force de la législation doit toujours tendre à la maintenir.

---

14 Si de deux peuples voisins l'un ne pouvait se passer de l'autre, ce serait une situation très dure pour le premier et très dangereuse pour le second. Toute nation sage, en pareil cas, s'efforcera bien vite de délivrer l'autre de cette dépendance. La République de Thlascala enclavée dans l'empire du Mexique aima mieux se passer de sel que d'en acheter des Mexicains, et même que d'en accepter gratuitement. Les sages Thlascalans virent le piège caché sous cette libéralité. Ils se conservèrent libres, et ce petit Etat, enfermé dans ce grand empire, fut enfin l'instrument de sa ruine.

15 Voulez-vous donc donner à l'Etat de la consistance? rapprochez les degrés extrêmes autant qu'il est possible: ne souffrez ni des gens opulents ni des gueux. Ces deux états, naturellement inséparables, sont également funestes au bien commun; de l'un sortent les fauteurs de la tyrannie et de l'autre les tyrans; c'est toujours entre eux que se fait le trafic de la liberté publique; l'un l'achète et l'autre la vend.

and there is no need to lay on any man burdens too heavy for a man to bear; one which can do without other peoples, and without which all others can do[14]; one which is neither rich nor poor, but self-sufficient; and, lastly, one which unites the consistency of an ancient people with the docility of a new one. Legislation is made difficult less by what it is necessary to build up than by what has to be destroyed; and what makes success so rare is the impossibility of finding natural simplicity together with social requirements. All these conditions are indeed rarely found united, and therefore few States have good constitutions.

There is still in Europe one country capable of being given laws — Corsica. The valour and persistency with which that brave people has regained and defended its liberty well deserves that some wise man should teach it how to preserve what it has won. I have a feeling that some day that little island will astonish Europe.

Chapter 2.11 The Various Systems of Legislation

If we ask in what precisely consists the greatest good of all, which should be the end of every system of legislation, we shall find it reduce itself to two main objects, liberty and equality — liberty, because all particular dependence means so much force taken from the body of the State and equality, because liberty cannot exist without it.

I have already defined civil liberty; by equality, we should understand, not that the degrees of power and riches are to be absolutely identical for everybody; but that power shall never be great enough for violence, and shall always be exercised by virtue of rank and law; and that, in respect of riches, no citizen shall ever be wealthy enough to buy another, and none poor enough to be forced to sell himself[15]: which implies, on the part of the great, moderation in goods and position, and, on the side of the common sort, moderation in avarice and covetousness.

Such equality, we are told, is an unpractical ideal that cannot actually exist. But if its abuse is inevitable, does it follow that we should not at least make regulations concerning it? It is precisely because the force of circumstances tends continually to destroy equality that the force of legislation should always tend to its maintenance.

---

14 If there were two neighbouring peoples, one of which could not do without the other, it would be very hard on the former, and very dangerous for the latter. Every wise nation, in such a case, would make haste to free the other from dependence. The Republic of Thiascala, enclosed by the Mexican Empire, preferred doing without salt to buying from the Mexicans, or even getting it from them as a gift. The Thiascalans were wise enough to see the snare hidden under such liberality. They kept their freedom, and that little State, shut up in that great Empire, was finally the instrument of its ruin

15 If the object is to give the State consistency, bring the two extremes as near to each other as possible; allow neither rich men nor beggars. These two estates, which are naturally inseparable, are equally fatal to the common good; from the one come the friends of tyranny, and from the other tyrants. It is always between them that public liberty is put up to auction; the one buys, and the other sells.

Mais ces objets généraux de toute bonne institution doivent être modifiés en chaque pays par les rapports qui naissent, tant de la situation locale que du caractère des habitants, et c'est sur ces rapports qu'il faut assigner à chaque peuple un système particulier d'institution, qui soit le meilleur, non peut-être en lui-même, mais pour l'État auquel il est destiné. Par exemple, le sol est-il ingrat et stérile, ou le pays trop serré pour les habitants? tournez-vous du côté de l'industrie et des arts, dont vous échangerez les productions contre les denrées qui vous manquent. Au contraire, occupez-vous de riches plaines et des coteaux fertiles dans un bon terrain, manquez-vous d'habitants donnez tous vos soins à l'agriculture, qui multiplie les hommes, et chassez les arts, qui ne feraient qu'achever de dépeupler le pays en attroupant sur quelques points du territoire le peu d'habitants qu'il y a[16]. Occupez-vous des rivages étendus et Commodes, couvrez la mer de vaisseaux, cultivez le commerce et la navigation, vous aurez une existence brillante et courte. La mer ne baigne-t-elle sur vos côtes que, des rochers presque inaccessibles? Restez barbares et ichthyophages; vous en vivrez plus tranquilles, meilleurs peut-être, et sûrement plus heureux. En un mot, outre les maximes communes à tous, chaque peuple renferme en lui quelque cause qui les ordonne d'une manière particulière, et rend sa législation propre à lui seul. C'est ainsi qu'autrefois les Hébreux, et récemment les Arabes, ont eu pour principal objet la religion, les Athéniens les lettres, Carthage et Tyr le commerce, Rhodes la marine, Sparte la guerre, et Rome la vertu. L'auteur de l'Esprit des lois a montré dans des foules d'exemples par quel art le législateur dirige l'institution vers chacun de ces objets.

Ce qui rend la constitution d'un État véritablement solide et durable, c'est quand les convenances sont tellement observées, que les rapports naturels et les lois tombent toujours de concert sur les mêmes points, et que celles-ci ne font, pour ainsi dire, qu'assurer, accompagner, rectifier les autres. Mais si le législateur, se trompant dans son objet, prend un principe différent de celui qui naît de la nature des choses que l'un tende à la servitude et l'autre à la liberté l'un aux richesses, l'autre à la population; l'un à la paix, l'autre aux conquêtes: on verra les lois s'affaiblir insensiblement, la constitution s'altérer, et l'État ne cessera d'être agité jusqu'à ce qu'il soit détruit ou changé, et que l'invincible nature ait repris son empire.

Chapitre 2.12 Division des lois

Pour ordonner le tout, ou donner la meilleure forme possible à la chose publique, il y a diverses relations à considérer. Premièrement, l'action du corps entier agissant

---

16 Quelque branche de commerce extérieur, dit le M(arquis) d'A(rgenson), ne répand guère qu'une fausse utilité pour un royaume en général elle peut enrichir quelques particuliers même quelques villes mais la nation entière n'y gagne rien, et lé peuple n'en est pas mieux.

But these general objects of every good legislative system need modifying in every country in accordance with the local situation and the temper of the inhabitants; and these circumstances should determine, in each case, the particular system of institutions which is best, not perhaps in itself, but for the State for which it is destined. If, for instance, the soil is barren and unproductive, or the land too crowded for its inhabitants, the people should turn to industry and the crafts, and exchange what they produce for the commodities they lack. If, on the other hand, a people dwells in rich plains and fertile slopes, or, in a good land, lacks inhabitants, it should give all its attention to agriculture, which causes men to multiply, and should drive out the crafts, which would only result in depopulation, by grouping in a few localities the few inhabitants there are[16]. If a nation dwells on an extensive and convenient coast-line, let it cover the sea with ships and foster commerce and navigation. It will have a life that will be short and glorious. If, on its coasts, the sea washes nothing but almost inaccessible rocks, let it remain barbarous and ichthyophagous: it will have a quieter, perhaps a better, and certainly a happier life. In a word, besides the principles that are common to all, every nation has in itself something that gives them a particular application, and makes its legislation peculiarly its own. Thus, among the Jews long ago and more recently among the Arabs, the chief object was religion, among the Athenians letters, at Carthage and Tyre commerce, at Rhodes shipping, at Sparta war, at Rome virtue. The author of The Spirit of the Laws has shown with many examples by what art the legislator directs the constitution towards each of these objects. What makes the constitution of a State really solid and lasting is the due observance of what is proper, so that the natural relations are always in agreement with the laws on every point, and law only serves, so to speak, to assure, accompany and rectify them. But if the legislator mistakes his object and adopts a principle other than circumstances naturally direct; if his principle makes for servitude while they make for liberty, or if it makes for riches, while they make for populousness, or if it makes for peace, while they make for conquest — the laws will insensibly lose their influence, the constitution will alter, and the State will have no rest from trouble till it is either destroyed or changed, and nature has resumed her invincible sway.

Chater 2.12 The Division of Laws

If the whole is to be set in order, and the commonwealth put into the best possible shape, there are various relations to be considered. First, there is the action of the

---

16 "Any branch of foreign commerce," says M. d'Argenson, "creates on the whole only apparent advantage for the kingdom in general; it may enrich some individuals, or even some towns; but the nation as a whole gains nothing by it, and the people is no better off."

sur lui-même, c'est-à-dire le rapport du tout au tout, ou du souverain à l'État; et ce rapport est composé de celui des termes intermédiaires, comme nous le verrons ci-après.

Les lois qui règlent ce rapport partent le nom de lois politiques, et s'appellent aussi lois fondamentales, non sans quelque raison si ces lois sont sages; car, s'il n'y a dans chaque État qu'une bonne manière de l'ordonner, le peuple qui l'a trouvée doit s'y tenir: mais si l'ordre établi est mauvais, pourquoi prendrait-on pour fondamentales des lois qui l'empêchent d'être bon? D'ailleurs, en tout état de cause, un peuple est toujours le maître de changer ses lois, même les meilleures; car, s'il lui plaît de se faire mal à lui-même, qui est-ce qui a droit de l'en empêcher?

La seconde relation est celle des membres entre eux, ou avec le corps entier; et ce rapport doit être au premier égard aussi petit. et au second aussi grand qu'il est possible; en sorte que chaque citoyen soit dans une parfaite indépendance de tous les autres, et dans une excessive dépendance de la cité: ce qui se fait toujours par les mêmes moyens; car il n'y a que la force de l'État qui fasse la liberté de ses membres. C'est de ce deuxième rapport que naissent les lois civiles.

On peut considérer une troisième sorte de relation entre l'homme et la loi, savoir, celle de la désobéissance à la peine; et celle-ci donne lieu à l'établissement des lois criminelles, qui, dans le fond, sont moins une espèce particulière de lois que la sanction de toutes les autres.

À ces trois sortes de lois il s'en joint une quatrième, la plus importante de toutes, qui ne se grave ni sur le marbre, ni sur l'airain, mais dans les cœurs des citoyens; qui fait la véritable constitution de l'État; qui prend tous les Jours de nouvelles forces; qui, lorsque les autres lois vieillissent ou s'éteignent, les ranime ou les supplée, conserve un peuple dans l'esprit de son institution, et substitue insensiblement la force de l'habitude à celle de l'autorité. Je parle des mœurs, des coutumes, et surtout de l'opinion; partie inconnue à nos politiques, mais de laquelle dépend le succès de toutes les autres; partie dont le grand législateur s'occupe en secret, tandis qu'il paraît se borner à des règlements particuliers, qui ne sont que le cintre de la voûte, dont les mœurs, plus lentes à naître, forment enfin l'inébranlable clef.

Entre ces diverses classes, les lois politiques, qui constituent la forme du gouvernement, sont la seule relative à mon sujet.

complete body upon itself, the relation of the whole to the whole, of the Sovereign to the State; and this relation, as we shall see, is made up of the relations of the intermediate terms.

The laws which regulate this relation bear the name of political laws, and are also called fundamental laws, not without reason if they are wise. For, if there is, in each State, only one good system, the people that is in possession of it should hold fast to this; but if the established order is bad, why should laws that prevent men from being good be regarded as fundamental? Besides, in any case, a people is always in a position to change its laws, however good; for, if it choose to do itself harm, who can have a right to stop it? The second relation is that of the members one to another, or to the body as a whole; and this relation should be in the first respect as unimportant, and in the second as important, as possible. Each citizen would then be perfectly independent of all the rest, and at the same time very dependent on the city; which is brought about always by the same means, as the strength of the State can alone secure the liberty of its members. From this second relation arise civil laws.

We may consider also a third kind of relation between the individual and the law, a relation of disobedience to its penalty. This gives rise to the setting up of criminal laws, which, at bottom, are less a particular class of law than the sanction behind all the rest.

Along with these three kinds of law goes a fourth, most important of all, which is not graven on tablets of marble or brass, but on the hearts of the citizens. This forms the real constitution of the State, takes on every day new powers, when other laws decay or die out, restores them or takes their place, keeps a people in the ways in which it was meant to go, and insensibly replaces authority by the force of habit. I am speaking of morality, of custom, above all of public opinion; a power unknown to political thinkers, on which none the less success in everything else depends. With this the great legislator concerns himself in secret, though he seems to confine himself to particular regulations; for these are only the arc of the arch, while manners and morals, slower to arise, form in the end its immovable keystone. Among the different classes of laws, the political, which determine the forms of the government, are alone relevant to my subject.

Livre III

Avant de parler des diverses formes de gouvernement, tâchons de fixer le sens précis de ce mot qui n'a pas encore été fort bien expliqué.

Chapitre 3.1 Du gouvernement en général

J'avertis le lecteur que ce chapitre doit être lu posément, et que je ne sais pas l'art d'être clair pour qui ne veut pas être attentif.

Toute action libre a deux causes qui concourent à la produire: l'une morale, savoir: la volonté qui détermine l'acte; l'autre physique, savoir: la puissance qui l'exécute. Quand je marche vers un objet, il faut premièrement que j'y veuille aller; en second lieu, que mes pieds m'y portent. Qu'un paralytique veuille courir, qu'un homme agile ne le veuille pas, tous deux resteront en place. Le corps politique a les mêmes, mobiles: on y distingue de même la force et la volonté; celle-ci sous le nom de puissance législative, l'autre sous le nom de puissance exécutive. Rien ne s'y fait ou ne doit s'y faire sans leur concours.

Nous avons vu que la puissance législative appartient au peuple, et ne peut appartenir qu'à lui. Il est aisé de voir, au contraire, par les principes ci-devant établis, que la puissance exécutive ne peut appartenir à la généralité comme législatrice ou souveraine, parce que cette puissance ne consiste qu'en des actes particuliers qui ne sont point du ressort de la loi, ni par conséquent de celui du souverain, dont tous les actes ne peuvent être que des lois.

Il faut donc à la force publique un agent propre qui la réunisse et la mette en œuvre selon les directions de la volonté générale, qui serve à la communication de l'État et du souverain, qui fasse en quelque sorte dans la personne publique ce que fait dans l'homme l'union de l'âme et du corps. Voilà quelle est, dans l'État, la raison du gouvernement, confondu mal à propos avec le souverain, dont il n'est que le ministre.

Qu'est-ce donc que le gouvernement? Un corps intermédiaire établi entre les sujets et le souverain pour leur mutuelle correspondance, chargé de l'exécution des lois et du maintien de la liberté tant civile que politique.

Les membres de ce corps s'appellent magistrats ou rois, c'est-à-dire gouverneurs et le corps entier porte le nom de prince[17]. Ainsi ceux qui prétendent que l'acte par lequel un peuple se soumet à des chefs n'est point un contrat ont grande raison. Ce n'est absolument qu'une commission, un emploi, dans lequel, simples officiers du souverain, ils exercent en son nom le pouvoir dont il les a faits dépositaires, et qu'il peut limiter, modifier et reprendre quand il lui plaît. L'aliénation d'un tel droit, étant incompatible avec la nature du corps social, est contraire au but de l'association.

---

17 C'est ainsi qu'à Venise on donne au collège le nom de *sérénissime Prince*, même quand le Doge n'y assiste pas.

Book 3

Before speaking of the different forms of government, let us try to fix the exact sense of the word, which has not yet been very clearly explained.

Chapter 3.1 Government in General

I warn the reader that this chapter requires careful reading, and that I am unable to make myself clear to those who refuse to be attentive. Every free action is produced by the concurrence of two causes; one moral, i.e., the will which determines the act; the other physical, i.e., the power which executes it. When I walk towards an object, it is necessary first that I should will to go there, and, in the second place, that my feet should carry me. If a paralytic wills to run and an active man wills not to, they will both stay where they are. The body politic has the same motive powers; here too force and will are distinguished, will under the name of legislative power and force under that of executive power. Without their concurrence, nothing is, or should be, done.

We have seen that the legislative power belongs to the people, and can belong to it alone. It may, on the other hand, readily be seen, from the principles laid down above, that the executive power cannot belong to the generality as legislature or Sovereign, because it consists wholly of particular acts which fall outside the competency of the law, and consequently of the Sovereign, whose acts must always be laws.

The public force therefore needs an agent of its own to bind it together and set it to work under the direction of the general will, to serve as a means of communication between the State and the Sovereign, and to do for the collective person more or less what the union of soul and body does for man. Here we have what is, in the State, the basis of government, often wrongly confused with the Sovereign, whose minister it is.

What then is government? An intermediate body set up between the subjects and the Sovereign, to secure their mutual correspondence, charged with the execution of the laws and the maintenance of liberty, both civil and political.

The members of this body are called magistrates or kings, that is to say governors, and the whole body bears the name prince[17].Thus those who hold that the act, by which a people puts itself under a prince, is not a contract, are certainly right. It is simply and solely a commission, an employment, in which the rulers, mere officials of the Sovereign, exercise in their own name the power of which it makes them depositaries. This power it can limit, modify or recover at pleasure; for the alienation of such a right is incompatible with the nature of the social body, and contrary to the end of association.

---

17 Thus at Venice the College, even in the absence of the Doge, is called "Most Serene Prince."

J'appelle donc gouvernement ou suprême administration, l'exercice légitime de la puissance exécutive, et prince ou magistrat, l'homme ou le corps chargé de cette administration.

C'est dans le gouvernement que se trouvent les forces intermédiaires, dont les rapports composent celui du tout au tout du souverain à l'État. On peut représenter ce dernier rapport par celui des extrêmes d'une proportion continue, dont la moyenne proportionnelle est le gouvernement. Le gouvernement reçoit du souverain les ordres qu'il donne au peuple; et, pour que l'État soit dans un bon équilibre, il faut, tout compensé, qu'il y ait égalité entre le produit ou la puissance du gouvernement pris en lui-même, et le produit ou la puissance des citoyens, qui sont souverain d'un côté et sujets de l'autre.

De plus, on ne saurait altérer aucun des trois termes sans rompre à l'instant la proportion. Si le souverain veut gouverner, ou si le magistrat veut donner des lois, ou si les sujets refusent d'obéir, le désordre succède à la règle, la force et la volonté n'agissent plus de concert, et l'État dissous tombe ainsi dans le despotisme ou dans l'anarchie. Enfin, comme il n'y a qu'une moyenne proportionnelle entre chaque rapport, il n'y a non plus qu'un bon gouvernement possible dans un État: mais, comme mille événements peuvent changer les rapports d'un peuple, non seulement différents gouvernements peuvent être bons à divers peuples, mais au même peuple en différents temps.

Pour tâcher de donner une idée des divers rapports qui peuvent régner entre ces deux extrêmes, je prendrai pour exemple le nombre du peuple, comme un rapport plus facile à exprimer.

Supposons que l'État soit composé de dix mille citoyens. Le souverain ne peut être considéré que collectivement et en corps; mais chaque particulier, en qualité de sujet, est considéré comme individu: ainsi le souverain est au sujet comme dix mille est à un; c'est-à-dire que chaque membre de l'État n'a pour sa part que la dix-millième partie de l'autorité souveraine, quoiqu'il lui soit soumis tout entier. Que le peuple soit composé de cent mille hommes, l'état des sujets ne change pas, et chacun porte également tout l'empire des lois, tandis que son suffrage, réduit à un cent-millième, a dix fois moins d'influence dans leur rédaction. Alors, le sujet, restant toujours un, le rapport du souverain augmente en raison du nombre des citoyens.

D'où il suit que, plus l'État s'agrandit, plus la liberté diminue.

Quand je dis que le rapport augmente, j'entends qu'il s'éloigne de l'égalité. Ainsi, plus le rapport est grand dans l'acception des géomètres, moins il y a de rapport dans l'acception commune: dans la première, le rapport, considéré selon la quantité, se mesure par l'exposant; et dans l'autre, considéré selon l'identité, il s'estime par la similitude.

Or, moins les volontés particulières se rapportent à la volonté générale, c'est-à-dire les mœurs aux lois, plus la force réprimante doit augmenter. Donc le

I call then government, or supreme administration, the legitimate exercise of the executive power, and prince or magistrate the man or the body entrusted with that administration.

In government reside the intermediate forces whose relations make up that of the whole to the whole, or of the Sovereign to the State. This last relation may be represented as that between the extreme terms of a continuous proportion, which has government as its mean proportional. The government gets from the Sovereign the orders it gives the people, and, for the State to be properly balanced, there must, when everything is reckoned in, be equality between the product or power of the government taken in itself, and the product or power of the citizens, who are on the one hand sovereign and on the other subject.

Furthermore, none of these three terms can be altered without the equality being instantly destroyed. If the Sovereign desires to govern, or the magistrate to give laws, or if the subjects refuse to obey, disorder takes the place of regularity, force and will no longer act together, and the State is dissolved and falls into despotism or anarchy. Lastly, as there is only one mean proportional between each relation, there is also only one good government possible for a State. But, as countless events may change the relations of a people, not only may different governments be good for different peoples, but also for the same people at different times. In attempting to give some idea of the various relations that may hold between these two extreme terms, I shall take as an example the number of a people, which is the most easily expressible.

Suppose the State is composed of ten thousand citizens. The Sovereign can only be considered collectively and as a body; but each member, as being a subject, is regarded as an individual: thus the Sovereign is to the subject as ten thousand to one, i.e., each member of the State has as his share only a ten-thousandth part of the sovereign authority, although he is wholly under its control. If the people numbers a hundred thousand, the condition of the subject undergoes no change, and each equally is under the whole authority of the laws, while his vote, being reduced to a hundred-thousandth part, has ten times less influence in drawing them up. The subject therefore remaining always a unit, the relation between him and the Sovereign increases with the number of the citizens. From this it follows that, the larger the State, the less the liberty.

When I say the relation increases, I mean that it grows more unequal. Thus the greater it is in the geometrical sense, the less relation there is in the ordinary sense of the word. In the former sense, the relation, considered according to quantity, is expressed by the quotient; in the latter, considered according to identity, it is reckoned by similarity. Now, the less relation the particular wills have to the general will, that is, morals and manners to laws, the more should the repressive force be increased.

gouvernement, pour être bon, doit être relativement plus fort à mesure que le peuple est plus nombreux.

D'un autre côté, l'agrandissement de l'État donnant aux dépositaires de l'autorité publique plus de tentations et de moyens d'abuser de leur pouvoir, plus le gouvernement doit avoir de force pour contenir le peuple, plus le souverain doit en avoir à son tour pour contenir le gouvernement. Je ne parle pas ici d'une force absolue, mais de la force relative des diverses parties de l'État.

Il suit de ce double rapport que la proportion continue entre le souverain, le prince et le peuple, n'est point une idée arbitraire, mais une conséquence nécessaire de la nature du corps politique. Il suit encore que l'un des extrêmes, savoir le peuple, comme sujet, étant fixe et représenté par l'unité, toutes les fois que la raison doublée augmente ou diminue, la raison simple augmente ou diminue semblablement, et que par conséquent le moyen terme est changé. Ce qui fait voir qu'il n'y a pas une constitution de gouvernement unique et absolue, mais qu'il peut y avoir autant de gouvernements différents en nature que d'États différents en grandeur.

Si, tournant ce système en ridicule, on disait que, pour trouver cette moyenne proportionnelle et former le corps du gouvernement, il ne faut, selon moi, que tirer la racine carrée du nombre du peuple, je répondrais que je ne prends ici ce nombre que pour un exemple; que les rapports dont je parle ne se mesurent pas seulement par le nombre des hommes, mais en général par la quantité d'action, laquelle se combine par des multitudes de causes; qu'au reste, si pour m'exprimer en moins de paroles, j'emprunte un moment des termes de géométrie, je n'ignore pas cependant que la précision géométrique n'a point lieu dans les quantités morales.

Le gouvernement est en petit ce que le corps politique qui le renferme est en grand. C'est une personne morale douée de certaines facultés, active comme le souverain, passive comme l'État, et qu'on peut décomposer en d'autres rapports semblables d'où naît par conséquent une nouvelle proportion une autre encore dans celle-ci, selon l'ordre des tribunaux, jusqu'à ce qu'on arrive à un moyen terme indivisible, c'est-à-dire un seul chef ou magistrat suprême, qu'on peut se représenter, au milieu de cette progression, comme l'unité entre la série des fractions et celles des nombres.

Sans nous embarrasser dans cette multiplication de termes, contentons-nous de considérer le gouvernement comme un nouveau corps dans l'État, distinct du peuple et du souverain, et intermédiaire entre l'un et l'autre.

Il y a cette différence essentielle entre ces deux corps, que l'État existe par lui-même, et que le gouvernement n'existe que par le souverain. Ainsi la volonté dominante du prince n'est ou ne doit être que la volonté générale ou la loi; sa force n'est que la force publique concentrée en lui: sitôt qu'il veut tirer de lui-même quelque acte absolu et indépendant, la liaison du tout commence à se relâcher. S'il

The government, then, to be good, should be proportionately stronger as the people is more numerous. On the other hand, as the growth of the State gives the depositaries of the public authority more temptations and chances of abusing their power, the greater the force with which the government ought to be endowed for keeping the people in hand, the greater too should be the force at the disposal of the Sovereign for keeping the government in hand. I am speaking, not of absolute force, but of the relative force of the different parts of the State.

It follows from this double relation that the continuous proportion between the Sovereign, the prince and the people, is by no means an arbitrary idea, but a necessary consequence of the nature of the body politic. It follows further that, one of the extreme terms, viz., the people, as subject, being fixed and represented by unity, whenever the duplicate ratio increases or diminishes, the simple ratio does the same, and is changed accordingly. From this we see that there is not a single unique and absolute form of government, but as many governments differing in nature as there are States differing in size.

If, ridiculing this system, any one were to say that, in order to find the mean proportional and give form to the body of the government, it is only necessary, according to me, to find the square root of the number of the people, I should answer that I am here taking this number only as an instance; that the relations of which I am speaking are not measured by the number of men alone, but generally by the amount of action, which is a combination of a multitude of causes; and that, further, if, to save words, I borrow for a moment the terms of geometry, I am none the less well aware that moral quantities do not allow of geometrical accuracy. The government is on a small scale what the body politic which includes it is on a great one. It is a moral person endowed with certain faculties, active like the Sovereign and passive like the State, and capable of being resolved into other similar relations. This accordingly gives rise to a new proportion, within which there is yet another, according to the arrangement of the magistracies, till an indivisible middle term is reached, i.e., a single ruler or supreme magistrate, who may be represented, in the midst of this progression, as the unity between the fractional and the ordinal series.

Without encumbering ourselves with this multiplication of terms, let us rest content with regarding government as a new body within the State, distinct from the people and the Sovereign, and intermediate between them.

There is between these two bodies this essential difference, that the State exists by itself, and the government only through the Sovereign. Thus the dominant will of the prince is, or should be, nothing but the general will or the law; his force is only the public force concentrated in his hands, and, as soon as he tries to base any absolute and independent act on his own authority, the tie that binds the whole together begins to be loosened.

arrivait enfin que le prince eût une volonté particulière plus active que celle du souverain, et qu'il usât, pour obéir à cette volonté particulière, de la force publique qui est dans ses mains, en sorte qu'on eût, pour ainsi dire, deux souverains, l'un de droit et l'autre de fait, à l'instant l'union sociale s'évanouirait, et le corps politique serait dissous.

Cependant, pour que le corps du gouvernement ait une existence, une vie réelle qui le distingue du corps de l'État; pour que tous ses membres puissent agir de concert et répondre à la fin pour laquelle il est institué, il lui faut un moi particulier, une sensibilité commune à ses membres, une force, une volonté propre qui tende à sa conservation. Cette existence particulière suppose des assemblées, des conseils, un pouvoir de délibérer, de résoudre, des droits, des titres, des privilèges qui appartiennent au prince exclusivement, et qui rendent la condition du magistrat plus honorable à proportion qu'elle est plus pénible. Les difficultés sont dans la manière d'ordonner dans le tout, ce tout subalterne, de sorte qu'il n'altère point la constitution générale en affermissant la sienne; qu'il distingue toujours sa force particulière, destinée à sa propre conservation, de la force publique, destinée à la conservation de l'État, et qu'en un mot il soit toujours prêt à sacrifier le gouvernement au peuple, et non le peuple au gouvernement.

D'ailleurs, bien que le corps artificiel du gouvernement soit l'ouvrage d'un autre corps artificiel, et qu'il n'ait, en quelque sorte, qu'une vie empruntée et subordonnée, cela n'empêche pas qu'il ne puisse agir avec plus ou moins de vigueur ou de célérité, jouir, pour ainsi dire, d'une santé plus ou moins robuste. Enfin, sans s'éloigner directement du but de son institution, il peut s'en écarter plus ou moins, selon la manière dont il est constitué.

C'est de toutes ces différences que naissent les rapports divers que le gouvernement doit avoir avec le corps de l'État, selon les rapports accidentels et particuliers par lesquels ce même État est modifié. Car souvent le gouvernement le meilleur en soi deviendra le plus vicieux, si ses rapports ne sont altérés selon les défauts du corps politique auquel il appartient.

Chapitre 3.2 Du principe qui constitue les diverses formes de gouvernement

Pour exposer la cause générale de ces différences, il faut distinguer ici le principe et le gouvernement, comme j'ai distingué ci-devant l'État et le souverain.

Le corps du magistrat peut être composé d'un plus grand ou moindre nombre de membres. Nous avons dit que le rapport du souverain aux sujets était d'autant plus grand que le peuple était plus nombreux; et, par une évidente analogie, nous en pouvons dire autant du gouvernement à l'égard des magistrats.

Or, la force totale du gouvernement, étant toujours celle de l'État, ne varie point:

If finally the prince should come to have a particular will more active than the will of the Sovereign, and should employ the public force in his hands in obedience to this particular will, there would be, so to speak, two Sovereigns, one rightful and the other actual, the social union would evaporate instantly, and the body politic would be dissolved.

However, in order that the government may have a true existence and a real life distinguishing it from the body of the State, and in order that all its members may be able to act in concert and fulfil the end for which it was set up, it must have a particular personality, a sensibility common to its members, and a force and will of its own making for its preservation. This particular existence implies assemblies, councils, power and deliberation and decision, rights, titles, and privileges belonging exclusively to the prince and making the office of magistrate more honourable in proportion as it is more troublesome. The difficulties lie in the manner of so ordering this subordinate whole within the whole, that it in no way alters the general constitution by affirmation of its own, and always distinguishes the particular force it possesses, which is destined to aid in its preservation, from the public force, which is destined to the preservation of the State; and, in a word, is always ready to sacrifice the government to the people, and never to sacrifice the people to the government.

Furthermore, although the artificial body of the government is the work of another artificial body, and has, we may say, only a borrowed and subordinate life, this does not prevent it from being able to act with more or less vigour or promptitude, or from being, so to speak, in more or less robust health. Finally, without departing directly from the end for which it was instituted, it may deviate more or less from it, according to the manner of its constitution.

From all these differences arise the various relations which the government ought to bear to the body of the State, according to the accidental and particular relations by which the State itself is modified, for often the government that is best in itself will become the most pernicious, if the relations in which it stands have altered according to the defects of the body politic to which it belongs.

Chapter 3.2 The Constituent Principle in Various Form

To set forth the general cause of the above differences, we must here distinguish between government and its principle, as we did before between the State and the Sovereign.

The body of the magistrate may be composed of a greater or a less number of members. We said that the relation of the Sovereign to the subjects was greater in proportion as the people was more numerous, and, by a clear analogy, we may say the same of the relation of the government to the magistrates.

But the total force of the government, being always that of the State, is invariable;

d'où il suit que plus il use de cette force sur ses propres membres, moins il lui en reste pour agir sur tout le peuple.Donc, plus les magistrats sont nombreux, plus le gouvernement est faible. Comme cette maxime est fondamentale, appliquons-nous à la mieux éclaircir.

Nous pouvons distinguer dans la personne du magistrat trois volontés essentiellement différentes: premièrement, la volonté propre de l'individu, qui ne tend qu'à son avantage particulier; secondement, la volonté commune des magistrats, qui se rapporte uniquement à l'avantage du prince, et qu'on peut appeler volonté de corps, laquelle est générale par rapport au gouvernement, et particulière par rapport à l'État, dont le gouvernement fait partie; en troisième lieu, la volonté du peuple ou la volonté souveraine, laquelle est générale, tant par rapport à l'État considéré comme le tout, que par rapport au gouvernement considéré comme partie du tout.

Dans une législation parfaite, la volonté particulière ou individuelle doit être nulle; la volonté de corps propre au gouvernement très subordonnée; et par conséquent la volonté générale ou souveraine toujours dominante et la règle unique de toutes les autres.

Selon l'ordre naturel, au contraire, ces différentes volontés deviennent plus actives à mesure qu'elles se concentrent. Ainsi la volonté générale est toujours la plus faible, la volonté de corps a le second rang, et là volonté particulière le premier de tous: de sorte que, dans le gouvernement, chaque membre est premièrement soi-même, et puis magistrat, et puis citoyen; gradation directement opposée à celle qu'exige l'ordre social.

Cela posé, que tout le gouvernement soit entre les mains d'un seul homme, voilà la volonté particulière et la volonté de corps parfaitement réunies, et par conséquent celle-ci au plus haut degré d'intensité qu'elle puisse avoir. Or, comme c'est du degré de la volonté que dépend l'usage de la force, et que la force absolue du gouvernement ne varie point, il s'ensuit que le plus actif des gouvernements est celui d'un seul.

Au contraire, unissons le gouvernement à l'autorité législative; faisons le prince du souverain, et de tous les citoyens autant de magistrats: alors la volonté de corps, confondue avec la volonté générale, n'aura pas plus d'activité qu'elle, et laissera la volonté particulière dans toute sa force. Ainsi le gouvernement, toujours avec la même force absolue, sera dans son minimum de force relative ou d'activité.

Ces rapports sont incontestables, et d'autres considérations servent encore à les confirmer. On voit, par exemple, que chaque magistrat est plus actif dans son corps que chaque citoyen dans le sien, et que par conséquent la volonté particulière a beaucoup plus d'influence dans les actes du gouvernement que dans ceux du souverain; car chaque magistrat est presque toujours chargé de quelque fonction du gouvernement; au lieu que chaque citoyen pris à part n'a aucune fonction de la souveraineté. D'ailleurs, plus l'État s'étend, plus sa force réelle augmente,

so that, the more of this force it expends on its own members, the less it has left to employ on the whole people. The more numerous the magistrates, therefore, the weaker the government. This principle being fundamental, we must do our best to make it clear.

In the person of the magistrate we can distinguish three essentially different wills: first, the private will of the individual, tending only to his personal advantage; secondly, the common will of the magistrates, which is relative solely to the advantage of the prince, and may be called corporate will, being general in relation to the government, and particular in relation to the State, of which the government forms part; and, in the third place, the will of the people or the sovereign will, which is general both in relation to the State regarded as the whole, and to the government regarded as a part of the whole.

In a perfect act of legislation, the individual or particular will should be at zero; the corporate will belonging to the government should occupy a very subordinate position; and, consequently, the general or sovereign will should always predominate and should be the sole guide of all the rest.

According to the natural order, on the other hand, these different wills become more active in proportion as they are concentrated. Thus, the general will is always the weakest, the corporate will second, and the individual will strongest of all: so that, in the government, each member is first of all himself, then a magistrate, and then a citizen — in an order exactly the reverse of what the social system requires. This granted, if the whole government is in the hands of one man, the particular and the corporate will are wholly united, and consequently the latter is at its highest possible degree of intensity. But, as the use to which the force is put depends on the degree reached by the will, and as the absolute force of the government is invariable, it follows that the most active government is that of one man.

Suppose, on the other hand, we unite the government with the legislative authority, and make the Sovereign prince also, and all the citizens so many magistrates: then the corporate will, being confounded with the general will, can possess no greater activity than that will, and must leave the particular will as strong as it can possibly be. Thus, the government, having always the same absolute force, will be at the lowest point of its relative force or activity.

These relations are incontestable, and there are other considerations which still further confirm them. We can see, for instance, that each magistrate is more active in the body to which he belongs than each citizen in that to which he belongs, and that consequently the particular will has much more influence on the acts of the government than on those of the Sovereign; for each magistrate is almost always charged with some governmental function, while each citizen, taken singly, exercises no function of Sovereignty. Furthermore, the bigger the State grows, the more its real force increases,

quoiqu'elle n'augmente pas en raison de son étendue: mais l'État restant le même, les magistrats ont beau se multiplier, le gouvernement n'en acquiert pas une plus grande force réelle, parce que cette force est celle de l'État, dont la mesure est toujours égale. Ainsi, la force relative ou l'activité du gouvernement diminue, sans que sa force absolue ou réelle puisse augmenter.

Il est sûr encore que l'expédition des affaires devient plus lente à mesure que plus de gens en sont chargés; qu'en donnant trop à la prudence on ne donne pas assez à la fortune; qu'on laisse échapper l'occasion, et qu'à force de délibérer on perd souvent le fruit de la délibération.

Je viens de prouver que le gouvernement se relâche à mesure que les magistrats se multiplient; et j'ai prouvé ci-devant que plus le peuple est nombreux, plus la force réprimante doit augmenter. D'où il suit que le rapport des magistrats au gouvernement doit être inverse du rapport des sujets au souverain; c'est-à-dire que, plus l'État s'agrandit, plus le gouvernement doit se resserrer; tellement que le nombre des chefs diminue en raison de l'augmentation du peuple.

Au reste, je ne parle ici que de la force relative du gouvernement, et non de sa rectitude: car, au contraire, plus le magistrat est nombreux, plus la volonté de corps se rapproche de la volonté générale; au lieu que, sous un magistrat unique, cette même volonté de corps n'est, comme je l'ai dit, qu'une volonté particulière. Ainsi, l'on perd d'un côté ce qu'on peut gagner de l'autre, et l'art du législateur est de savoir fixer le point où la force et la volonté du gouvernement, toujours en proportion réciproque, se combinent dans le rapport le plus avantageux à l'État.

Chapitre 3.3 Division des gouvernements

On a vu dans le chapitre précédent pourquoi l'on distingue les diverses espèces ou formes de gouvernements par le nombre des membres qui les composent; il reste à voir dans celui-ci comment se fait cette division.

Le souverain peut, en premier lieu, commettre le dépôt du gouvernement à tout le peuple ou à la plus grande partie du peuple, en sorte qu'il y ait plus de citoyens magistrats que de citoyens simples particuliers. On donne à cette forme de gouvernement le nom de démocratie.

Ou bien il peut resserrer le gouvernement entre les mains d'un petit nombre, en sorte qu'il y ait plus de simples citoyens que de magistrats; et cette forme porte le nom d'aristocratie.

Enfin il peut concentrer tout le gouvernement dans les mains d'un magistrat unique dont tous les autres tiennent leur pouvoir. Cette troisième forme est la plus commune, et s'appelle monarchie, ou gouvernement royal.

On doit remarquer que toutes ces formes, ou du moins les deux premières, sont susceptibles de plus ou de moins, et ont même une assez grande latitude; car la démocratie peut embrasser tout le peuple, ou se resserrer jusqu'à la moitié. L'aristocratie, à son tour, peut, de la moitié du peuple, se resserrer jusqu'au plus

though not in direct proportion to its growth; but, the State remaining the same, the number of magistrates may increase to any extent, without the government gaining any greater real force; for its force is that of the State, the dimension of which remains equal. Thus the relative force or activity of the government decreases, while its absolute or real force cannot increase.Moreover, it is a certainty that promptitude in execution diminishes as more people are put in charge of it: where prudence is made too much of, not enough is made of fortune; opportunity is let slip, and deliberation results in the loss of its object. I have just proved that the government grows remiss in proportion as the number of the magistrates increases; and I previously proved that, the more numerous the people, the greater should be the repressive force. From this it follows that the relation of the magistrates to the government should vary inversely to the relation of the subjects to the Sovereign; that is to say, the larger the State, the more should the government be tightened, so that the number of the rulers diminish in proportion to the increase of that of the people.

It should be added that I am here speaking of the relative strength of the government, and not of its rectitude: for, on the other hand, the more numerous the magistracy, the nearer the corporate will comes to the general will; while, under a single magistrate, the corporate will is, as I said, merely a particular will. Thus, what may be gained on one side is lost on the other, and the art of the legislator is to know how to fix the point at which the force and the will of the government, which are always in inverse proportion, meet in the relation that is most to the advantage of the State.

Chapter 3.3 The Division of Governments

We saw in the last chapter what causes the various kinds or forms of government to be distinguished according to the number of the members composing them: it remains in this to discover how the division is made.

In the first place, the Sovereign may commit the charge of the government to the whole people or to the majority of the people, so that more citizens are magistrates than are mere private individuals. This form of government is called democracy.

Or it may restrict the government to a small number, so that there are more private citizens than magistrates; and this is named aristocracy.

Lastly, it may concentrate the whole government in the hands of a single magistrate from whom all others hold their power. This third form is the most usual, and is called monarchy, or royal government.

It should be remarked that all these forms, or at least the first two, admit of degree, and even of very wide differences; for democracy may include the whole people, or may be restricted to half. Aristocracy, in its turn, may be restricted indefinitely from half the people down to

petit nombre indéterminément. La royauté même est susceptible de quelque partage. Sparte eut constamment deux rois par sa constitution; et l'on a vu dans l'empire romain jusqu'à huit empereurs à la fois sans qu'on pût dire que l'empire fût divisé. Ainsi il y a un point où chaque forme de gouvernement se confond avec la suivante, et l'on voit que, sous trois seules dénominations, le gouvernement est réellement susceptible d'autant de formes diverses que l'État a de citoyens.

Il y a plus: ce même gouvernement pouvant, à certains égards, se subdiviser en d'autres parties, l'une administrée d'une manière et l'autre d'une autre, il peut résulter de ces trois formes combinées une multitude de formes mixtes, dont chacune est multipliable par toutes les formes simples.

On a, de tout temps, beaucoup disputé sur la meilleure forme de gouvernement, sans considérer que chacune d'elles est la meilleure en certains cas, et la pire en d'autres.

Si, dans les différents États, le nombre des magistrats suprêmes doit être en raison inverse de celui des citoyens, il s'ensuit qu'en général le gouvernement démocratique convient aux petits États, l'aristocratique aux médiocres, et le monarchique aux grands. Cette règle se tire immédiatement du principe. Mais comment compter la multitude de circonstances qui peuvent fournir des exceptions?

Chapitre 3.4 De la démocratie

Celui qui fait la loi sait mieux que personne comment elle doit être exécutée et interprétée. Il semble donc qu'on ne saurait avoir une meilleure constitution que celle où le pouvoir exécutif est joint au législatif: mais c'est cela même qui rend ce gouvernement insuffisant à certains égards, parce que les choses qui doivent être distinguées ne le sont pas, et que le prince et le souverain, n'étant que la même personne, ne forment, pour ainsi dire, qu'un gouvernement sans gouvernement. Il n'est pas bon que celui qui fait les lois les exécute, ni que le corps du peuple détourne son attention des vues générales pour les donner aux objets particuliers. Rien n'est plus dangereux que l'influence des intérêts privés dans les affaires publiques, et l'abus des lois par le gouvernement est un mal moindre que la corruption du législateur, suite infaillible des vues particulières. Alors, l'État étant altéré dans sa substance, toute réforme devient impossible. Un peuple qui n'abuserait jamais du gouvernement n'abuserait pas non plus de l'indépendance; un peuple qui gouvernerait toujours bien n'aurait pas besoin d'être gouverné.

A prendre le terme dans la rigueur de l'acception, il n'a jamais existé de véritable démocratie, et il n'en existera jamais. Il est contre l'ordre naturel que le grand nombre gouverne et que le petit soit gouverné. On ne peut imaginer que le peuple reste incessamment

the smallest possible number. Even royalty is susceptible of a measure of distribution. Sparta always had two kings, as its constitution provided; and the Roman Empire saw as many as eight emperors at once, without it being possible to say that the Empire was split up. Thus there is a point at which each form of government passes into the next, and it becomes clear that, under three comprehensive denominations, government is really susceptible of as many diverse forms as the State has citizens.

There are even more: for, as the government may also, in certain aspects, be subdivided into other parts, one administered in one fashion and one in another, the combination of the three forms may result in a multitude of mixed forms, each of which admits of multiplication by all the simple forms.

There has been at all times much dispute concerning the best form of government, without consideration of the fact that each is in some cases the best, and in others the worst.

If, in the different States, the number of supreme magistrates should be in inverse ratio to the number of citizens, it follows that, generally, democratic government suits small States, aristocratic government those of middle size, and monarchy great ones. This rule is immediately deducible from the principle laid down. But it is impossible to count the innumerable circumstances which may furnish exceptions.

Chapter 3.4 Democracy

He who makes the law knows better than any one else how it should be executed and interpreted. It seems then impossible to have a better constitution than that in which the executive and legislative powers are united; but this very fact renders the government in certain respects inadequate, because things which should be distinguished are confounded, and the prince and the Sovereign, being the same person, form, so to speak, no more than a government without government.

It is not good for him who makes the laws to execute them, or for the body of the people to turn its attention away from a general standpoint and devote it to particular objects. Nothing is more dangerous than the influence of private interests in public affairs, and the abuse of the laws by the government is a less evil than the corruption of the legislator, which is the inevitable sequel to a particular standpoint. In such a case, the State being altered in substance, all reformation becomes impossible, A people that would never misuse governmental powers would never misuse independence; a people that would always govern well would not need to be governed.

If we take the term in the strict sense, there never has been a real democracy, and there never will be. It is against the natural order for the many to govern and the few to be governed. It is unimaginable that the people should remain continually

assemblé pour vaquer aux affaires publiques, et l'on voit aisément qu'il ne saurait établir pour cela des commissions, sans que la forme de l'administration change. En effet, je crois pouvoir poser en principe que, quand les fonctions du gouvernement sont partagées entre plusieurs tribunaux, les moins nombreux acquièrent tôt ou tard la plus grande autorité, ne fût-ce qu'à cause de la facilité d'expédier les affaires, qui les y amène naturellement.

D'ailleurs, que de choses difficiles à réunir ne suppose pas ce gouvernement! Premièrement, un État très petit, où le peuple soit facile à rassembler, et où chaque citoyen puisse aisément connaître tous les autres; secondement, une grande simplicité de mœurs qui prévienne la multitude d'affaires et de discussions épineuses; ensuite beaucoup d'égalité dans les rangs et dans les fortunes, sans quoi l'égalité ne saurait subsister longtemps dans les droits et l'autorité; enfin peu ou point de luxe, car ou le luxe est l'effet des richesses, ou il les rend nécessaires; il corrompt à la fois le riche et le pauvre, l'un par la possession, l'autre par la convoitise; il vend la patrie à la mollesse, à la vanité; il ôte à l'État tous ses citoyens pour les asservir les uns aux autres, et tous à l'opinion.

Voilà pourquoi un auteur célèbre a donné la vertu pour principe à la république, car toutes ces conditions ne sauraient subsister sans la vertu; mais, faute d'avoir fait les distinctions nécessaires, ce beau génie a manqué souvent de justesse, quelquefois de clarté, et n'a pas vu que l'autorité souveraine étant partout la même, le même principe doit avoir lieu dans tout État bien constitué, plus ou moins, il est vrai, selon la forme du gouvernement.

Ajoutons qu'il n'y a pas de gouvernement si sujet, aux guerres civiles et aux agitations intestines que le démocratique ou populaire, parce qu'il n'y en a aucun qui tende si fortement et si continuellement à changer de forme, ni qui demande plus de vigilance et de courage pour être maintenu dans la sienne. C'est surtout dans cette constitution que le citoyen doit s'armer de force et de constance, et dire chaque jour de sa vie au fond de son cœur ce que disait un vertueux Palatin[18] dans la diète de Pologne: *Malo periculosam libertatem quam quietum servitium.*

S'il y avait un peuple de dieux, il se gouvernerait démocratiquement. Un gouvernement si parfait ne convient pas à des hommes.

Chapitre 3.5 De l'aristocratie

Nous avons ici deux personnes morales très distinctes, savoir, le gouvernement et le souverain; et par conséquent deux volontés générales, l'une par rapport à tous les citoyens, l'autre seulement pour les membres de l'administration. Ainsi, bien que le gouvernement puisse régler sa police intérieure comme il lui plaît, il ne peut jamais parler au peuple

---

18 Le Palatin de Posnanie, père du roi de Pologne, duc de Lorraine.

assembled to devote their time to public affairs, and it is clear that they cannot set up commissions for that purpose without the form of administration being changed.

In fact, I can confidently lay down as a principle that, when the functions of government are shared by several tribunals, the less numerous sooner or later acquire the greatest authority, if only because they are in a position to expedite affairs, and power thus naturally comes into their hands.

Besides, how many conditions that are difficult to unite does such a government presuppose! First, a very small State, where the people can readily be got together and where each citizen can with ease know all the rest; secondly, great simplicity of manners, to prevent business from multiplying and raising thorny problems; next, a large measure of equality in rank and fortune, without which equality of rights and authority cannot long subsist; lastly, little or no luxury — for luxury either comes of riches or makes them necessary; it corrupts at once rich and poor, the rich by possession and the poor by covetousness; it sells the country to softness and vanity, and takes away from the State all its citizens, to make them slaves one to another, and one and all to public opinion.

This is why a famous writer has made virtue the fundamental principle of Republics; for all these conditions could not exist without virtue. But, for want of the necessary distinctions, that great thinker was often inexact, and sometimes obscure, and did not see that, the sovereign authority being everywhere the same, the same principle should be found in every well-constituted State, in a greater or less degree, it is true, according to the form of the government.

It may be added that there is no government so subject to civil wars and intestine agitations as democratic or popular government, because there is none which has so strong and continual a tendency to change to another form, or which demands more vigilance and courage for its maintenance as it is. Under such a constitution above all, the citizen should arm himself with strength and constancy, and say, every day of his life, what a virtuous Count Palatine[18] said in the Diet of Poland: *Malo periculosam libertatem quam quietum servitium.*[18a]

Were there a people of gods, their government would be democratic. So perfect a government is not for men.

Chaper 3.5 Aristocracy

WE have here two quite distinct moral persons, the government and the Sovereign, and in consequence two general wills, one general in relation to all the citizens, the other only for the members of the administration. Thus, although the government may regulate its internal policy as it pleases, it can never speak to the

---

18 The Palatine of Posen, father of the King of Poland, Duke of Lorraine.
18a I prefer liberty with danger to peace with slavery.

qu'au nom du souverain, c'est-à-dire au nom du peuple même; ce qu'il ne faut jamais oublier.Les premières sociétés se gouvernèrent aristocratiquement. Les chefs des familles délibéraient entre eux des affaires publiques. Les jeunes gens cédaient sans peine à l'autorité de l'expérience. De là les noms de prêtres, d'anciens, de sénat, de gérontes. Les sauvages de l'Amérique septentrionale se gouvernent encore ainsi de nos jours et sont très bien gouvernés.

Mais, à mesure que l'inégalité d'institution l'emporta sur l'inégalité naturelle, la richesse ou la puissance[19] fut préférée à l'âge, et l'aristocratie devint élective. Enfin la puissance transmise avec les biens du père aux enfants, rendant les familles patriciennes, rendit le gouvernement héréditaire, et l'on vit des sénateurs de vingt ans.

Il y a donc trois sortes d'aristocratie: naturelle, élective, héréditaire. La première ne convient qu'à des peuples simples; la troisième est le pire de tous les gouvernements. La deuxième est le meilleur: c'est l'aristocratie proprement dite. Outre l'avantage de la distinction des deux pouvoirs, elle a celui du choix de ses membres; car, dans le gouvernement populaire, tous les citoyens naissent magistrats; mais celui-ci les borne à un petit nombre, et ils ne le deviennent que par élection[20]: moyen par lequel la probité, les lumières, l'expérience, et toutes les autres raisons de préférence et d'estime publique, sont autant de nouveaux garants qu'on sera sagement gouverné.

De plus, les assemblées se font plus commodément; les affaires se discutent mieux, s'expédient avec plus d'ordre et de diligence; le crédit de l'État est mieux soutenu chez l'étranger par de vénérables sénateurs que par une multitude inconnue ou méprisée.

En un mot, c'est l'ordre le meilleur et le plus naturel que les plus sages gouvernent la multitude, quand on est sûr qu'ils la gouverneront pour son profit, et non pour le leur. Il ne faut point multiplier en vain les ressorts, ni faire avec vingt mille hommes ce que cent hommes choisis peuvent encore mieux. Mais il faut remarquer que l'intérêt de corps commence à moins diriger ici la force publique sur la règle de la volonté générale, et qu'une autre pente inévitable enlève aux lois une partie de la puissance exécutive.

A l'égard des convenances particulières, il ne faut ni un État si petit, ni un peuple si simple et si droit, que l'exécution des lois suive immédiatement de la volonté publique, comme dans une bonne démocratie. Il ne faut pas non plus une si grande nation, que les chefs épars pour la gouverner puissent trancher du souverain

---

19 Il est clair que le mot *Optimates* chez les Anciens ne veut pas dire les meilleurs, mais les plus puissants.

20 Il importe beaucoup de régler par des lois la forme de l'élection des magistrats: car en l'abandonnant à la volonté du prince on ne peut éviter de tomber dans l'aristocratie héréditaire, comme il est arrivé aux républiques de Venise et de Berne. Aussi la première est-elle depuis longtemps un Etat dissous, mais la seconde se maintient par l'extrême sagesse de son Sénat; c'est une exception bien honorable et bien dangereuse.

people save in the name of the Sovereign, that is, of the people itself, a fact which must not be forgotten.

The first societies governed themselves aristocratically. The heads of families took counsel together on public affairs. The young bowed without question to the authority of experience. Hence such names as priests, elders, senate, and gerontes. The savages of North America govern themselves in this way even now, and their government is admirable.

But, in proportion as artificial inequality produced by institutions became predominant over natural inequality, riches or power[19] were put before age, and aristocracy became elective. Finally, the transmission of the father's power along with his goods to his children, by creating patrician families, made government hereditary, and there came to be senators of twenty.

There are then three sorts of aristocracy — natural, elective and hereditary. The first is only for simple peoples; the third is the worst of all governments; the second is the best, and is aristocracy properly so called.

Besides the advantage that lies in the distinction between the two powers, it presents that of its members being chosen; for, in popular government, all the citizens are born magistrates; but here magistracy is confined to a few, who become such only by election[20]. By this means uprightness, understanding, experience and all other claims to pre-eminence and public esteem become so many further guarantees of wise government.

Moreover, assemblies are more easily held, affairs better discussed and carried out with more order and diligence, and the credit of the State is better sustained abroad by venerable senators than by a multitude that is unknown or despised.

In a word, it is the best and most natural arrangement that the wisest should govern the many, when it is assured that they will govern for its profit, and not for their own. There is no need to multiply instruments, or get twenty thousand men to do what a hundred picked men can do even better. But it must not be forgotten that corporate interest here begins to direct the public power less under the regulation of the general will, and that a further inevitable propensity takes away from the laws part of the executive power.

If we are to speak of what is individually desirable, neither should the State be so small, nor a people so simple and upright, that the execution of the laws follows immediately from the public will, as it does in a good democracy. Nor should the nation be so great that the rulers have to scatter in order to govern it and are able

---

19 It is clear that the word *optimales* meant, among the ancients, not the best, but the most powerful.
20 It is of great importance that the form of the election of magistrates should be regulated by law; for if it is left at the discretion of the prince, it is impossible to avoid falling into hereditary aristocracy, as the Republics of Venice and Berne actually did. The first of these has therefore long been a State dissolved; the second, however, is maintained by the extreme wisdom of the senate, and forms an honourable and highly dangerous exception.

chacun dans son département, et commencer par se rendre indépendants pour devenir enfin les maîtres.

Mais si l'aristocratie exige quelques vertus de moins que le gouvernement populaire, elle en exige aussi d'autres qui lui sont propres, comme la modération dans les riches, et le contentement dans les pauvres; car il semble qu'une égalité rigoureuse y serait déplacée; elle ne fut pas même observée à Sparte.

Au reste, si cette forme comporte une certaine inégalité de fortune, c'est bien pour qu'en général l'administration des affaires publiques soit confiée à ceux qui peuvent le mieux y donner tout leur temps, niais non pas, comme prétend Aristote, pour que les riches soient toujours préférés. Au contraire, il importe qu'un choix opposé apprenne quelquefois au peuple qu'il y a, dans le mérite des hommes, des raisons de préférence plus importantes que la richesse.

Chapitre 3.6 De la monarchie

Jusqu'ici nous avons considéré le prince comme une personne morale et collective, unie par la force des lois, et dépositaire dans l'État de la puissance exécutive. Nous avons maintenant à considérer cette puissance réunie entre les mains d'une personne naturelle, d'un homme réel, qui seul ait droit d'en disposer selon les lois. C'est ce qu'on appelle un monarque ou un roi.

Tout au contraire des autres administrations où un être collectif représente un individu, dans celle-ci un individu représente un être collectif; en sorte que l'unité morale qui constitue le prince est en même temps une unité physique, dans laquelle toutes les facultés que la loi réunit dans l'autre avec tant d'efforts se trouvent naturellement réunies.

Ainsi la volonté du peuple, et la volonté du prince, et la force publique de l'État, et la force particulière du gouvernement, tout répond au même mobile, tous les ressorts de la machine sont dans la même main, tout marche au même but; il n'y a point de mouvements opposés qui s'entre-détruisent, et l'on ne peut imaginer aucune sorte de constitution dans laquelle un moindre effort produise une action plus considérable. Archimède, assis tranquillement sur le rivage et tirant sans peine à flot un grand vaisseau, me représente un monarque habile, gouvernant de son cabinet ses vastes États, et faisant tout mouvoir en paraissant immobile.

Mais s'il n'y a point de gouvernement qui ait plus de vigueur, il n'y en a point où la volonté particulière ait plus d'empire et domine plus aisément les autres: tout marche au même but, il est vrai; mais ce but n'est point celui de la félicité publique, et la force même de l'administration tourne sans cesse au préjudice de l'État.

Les rois veulent être absolus, et de loin on leur crie que le meilleur moyen de l'être est de se faire aimer de leurs peuples. Cette maxime est très belle, et même très

to play the Sovereign each in his own department, and, beginning by making themselves independent, end by becoming masters.

But if aristocracy does not demand all the virtues needed by popular government, it demands others which are peculiar to itself; for instance, moderation on the side of the rich and contentment on that of the poor; for it seems that thorough-going equality would be out of place, as it was not found even at Sparta.

Furthermore, if this form of government carries with it a certain inequality of fortune, this is justifiable in order that as a rule the administration of public affairs may be entrusted to those who are most able to give them their whole time, but not, as Aristotle maintains, in order that the rich may always be put first. On the contrary, it is of importance that an opposite choice should occasionally teach the people that the deserts of men offer claims to pre-eminence more important than those of riches.

Chapter 3.6 Monarchy

So far, we have considered the prince as a moral and collective person, unified by the force of the laws, and the depositary in the State of the executive power. We have now to consider this power when it is gathered together into the hands of a natural person, a real man, who alone has the right to dispose of it in accordance with the laws. Such a person is called a monarch or king.

In contrast with other forms of administration, in which a collective being stands for an individual, in this form an individual stands for a collective being; so that the moral unity that constitutes the prince is at the same time a physical unity, and all the qualities, which in the other case are only with difficulty brought together by the law, are found naturally united.

Thus the will of the people, the will of the prince, the public force of the State, and the particular force of the government, all answer to a single motive power; all the springs of the machine are in the same hands, the whole moves towards the same end; there are no conflicting movements to cancel one another, and no kind of constitution can be imagined in which a less amount of effort produces a more considerable amount of action. Archimedes, seated quietly on the bank and easily drawing a great vessel afloat, stands to my mind for a skilful monarch, governing vast states from his study, and moving everything while he seems himself unmoved. But if no government is more vigorous than this, there is also none in which the particular will holds more sway and rules the rest more easily.

Everything moves towards the same end indeed, but this end is by no means that of the public happiness, and even the force of the administration constantly shows itself prejudicial to the State.

Kings desire to be absolute, and men are always crying out to them from afar that the best means of being so is to get themselves loved by their people. This precept

vraie à certains égards: malheureusement, on s'en moquera toujours dans les cours.
La puissance qui vient de l'amour des peuples est sans doute la plus grande; mais
elle est précaire et conditionnelle; jamais les princes ne s'en contenteront. Les
meilleurs rois veulent pouvoir être méchants s'il leur plait, sans cesser d'être les
maîtres. Un sermonneur politique aura beau leur dire que, la force du peuple étant
la leur, leur plus grand intérêt est que le peuple soit florissant, nombreux,
redoutable; ils savent très bien que cela n'est pas vrai. Leur intérêt personnel est
premièrement que le peuple soit faible, misérable, et qu'il ne puisse jamais leur
résister. J'avoue que, supposant les sujets toujours parfaitement soumis, l'intérêt du
prince serait alors que le peuple fût puissant, afin que cette puissance étant sienne
le rendît redoutable à ses voisins; mais, comme cet intérêt n'est que secondaire et
subordonné, et que les deux suppositions sont incompatibles, il est naturel que les
princes donnent la préférence à la maxime qui leur est le plus immédiatement
utile. C'est ce que Samuel représentait fortement aux Hébreux: c'est ce que
Machiavel a fait voir avec évidence. En feignant de donner des leçons aux rois, il en
a donné de grandes aux peuples. Le Prince de Machiavel est le livre des
républicains[21].

Nous avons trouvé, par les rapports généraux, que la monarchie n'est convenable
qu'aux grands États; et nous le trouverons encore en l'examinant en elle-même.
Plus l'administration publique est nombreuse, plus le rapport du prince aux sujets
diminue et s'approche de l'égalité, en sorte que ce rapport est un ou l'égalité, même
dans la démocratie. Ce même rapport augmente à mesure que le gouvernement se
resserre. et il est dans son maximum quand le gouvernement est dans les mains
d'un seul. Alors il se trouve une trop grande distance entre le prince et le peuple, et
l'État manque de liaison. Pour la former, il faut donc des ordres intermédiaires, il
faut des princes, des grands, de la noblesse pour les remplir. Or, rien de tout cela
ne convient à un petit État, que ruinent tous ces degrés.

Mais s'il est difficile qu'un grand État soit bien gouverné, il l'est beaucoup plus
qu'il soit bien gouverné par un seul homme; chacun sait ce qu'il arrive quand le roi
se donne des substituts.

Un défaut essentiel et inévitable, qui mettra toujours le gouvernement
monarchique au-dessous du républicain, est que dans celui-ci la voix publique
n'élève presque jamais aux premières places que des hommes éclairés et capables,
qui les remplissent avec honneur; au lieu que ceux qui parviennent dans les
monarchies ne sont le plus souvent que de petits brouillons, de petits fripons, de

---

21 *Machiavel était un honnête homme et un bon citoyen: mais attaché à la maison de Médicis il était forcé
dans l'oppression de sa patrie de déguiser son amour pour la liberté. Le choix seul de son exécrable héros
manifeste assez son intention secrète et l'opposition des maximes de son livre du Prince à celles de ses discours
sur Tite-Live et de son histoire de Florence démontre que ce profond politique n'a eu jusqu'ici que des lecteurs
superficiels ou corrompus. La cour de Rome a sévèrement défendu son livre, je le crois bien; c'est elle qu'il
dépeint le plus clairement.*(Edition de 1782).

is all very well, and even in some respects very true. Unfortunately, it will always be derided at court.

The power which comes of a people's love is no doubt the greatest; but it is precarious and conditional, and princes will never rest content with it. The best kings desire to be in a position to be wicked, if they please, without forfeiting their mastery: political sermonisers may tell them to their hearts' content that, the people's strength being their own, their first interest is that the people should be prosperous, numerous and formidable; they are well aware that this is untrue. Their first personal interest is that the people should be weak, wretched, and unable to resist them. I admit that, provided the subjects remained always in submission, the prince's interest would indeed be that it should be powerful, in order that its power, being his own, might make him formidable to his neighbours; but, this interest being merely secondary and subordinate, and strength being incompatible with submission, princes naturally give the preference always to the principle that is more to their immediate advantage. This is what Samuel put strongly before the Hebrews, and what Machiavelli has clearly shown. He professed to teach kings; but it was the people he really taught. His Prince is the book of Republicans[21].

We found, on general grounds, that monarchy is suitable only for great States, and this is confirmed when we examine it in itself. The more numerous the public administration, the smaller becomes the relation between the prince and the subjects, and the nearer it comes to equality, so that in democracy the ratio is unity, or absolute equality. Again, as the government is restricted in numbers the ratio increases and reaches its maximum when the government is in the hands of a single person. There is then too great a distance between prince and people, and the State lacks a bond of union. To form such a bond, there must be intermediate orders, and princes, personages and nobility to compose them. But no such things suit a small State, to which all class differences mean ruin. If, however, it is hard for a great State to be well governed, it is much harder for it to be so by a single man; and every one knows what happens when kings substitute others for themselves.

An essential and inevitable defect, which will always rank monarchical below the republican government, is that in a republic the public voice hardly ever raises to the highest positions men who are not enlightened and capable, and such as to fill them with honour; while in monarchies those who rise to the top are most often merely petty blunderers, petty swindlers, and petty intriguers, whose petty talents

---

21 Machiavelli was a proper man and a good citizen; but, being attached to the court of the Medici, he could not help veiling his love of liberty in the midst of his country's oppression. The choice of his detestable hero, Caesar Borgia, clearly enough shows his hidden aim; and the contradiction between the teaching of the *Prince* and that of the *Discourses on Livy* and the *History of Florence* shows that this profound political thinker has so far been studied only by superficial or corrupt readers. The Court of Rome sternly prohibited his book. I can well believe it; for it is that Court it most clearly portrays.

petits intrigants, à qui les petits talents, qui font dans les cours parvenir aux grands places, ne servent qu'à montrer au public leur ineptie aussitôt qu'ils y sont parvenus. Le peuple se trompe bien moins sur ce choix que le prince; et un homme d'un vrai mérite est presque aussi rare dans le ministère qu'un sot à la tête d'un gouvernement républicain. Aussi, quand, par quelque heureux hasard, un de ces hommes nés pour gouverner prend le timon des affaires dans une monarchie presque abîmée par ces tas de jolis régisseurs, on est tout surpris des ressources qu'il trouve, et cela fait époque dans un pays.

Pour qu'un État monarchique pût être bien gouverné, il faudrait que sa grandeur ou son étendue fût mesurée aux facultés de celui qui gouverne. Il est plus aisé de conquérir que de régir. Avec un levier suffisant, d'un doigt l'on peut ébranler le monde; mais pour le soutenir il faut les épaules d'Hercule. Pour peu qu'un État soit grand, le prince est presque toujours trop petit. Quand, au contraire, il arrive que l'État est trop petit pour son chef, ce qui est très rare, il est encore mal gouverné, parce que le chef, suivant toujours la grandeur de ses vues, oublie les intérêts des peuples, et ne les rend pas moins malheureux par l'abus des talents qu'il a de trop qu'un chef borné par le défaut de ceux qui lui manquent. Il faudrait, pour ainsi dire, qu'un royaume s'étendît ou se resserrât à chaque règne, selon la portée du prince; au lieu que, les talents d'un sénat ayant des mesures plus fixes, l'État peut avoir des bornes constantes, et l'administration n'aller pas moins bien. Le plus sensible inconvénient du gouvernement d'un seul est le défaut de cette succession continuelle qui forme dans les deux autres une liaison non interrompue. Un roi mort, il en faut un autre; les élections laissent des intervalles dangereux; elles sont orageuses; et à moins que les citoyens ne soient d'un désintéressement, d'une intégrité que ce gouvernement ne compte guère, la brigue et la corruption s'en mêlent. Il est difficile que celui à qui l'État s'est vendu ne le vende pas à son tour, et ne se dédommage pas sur les faibles de l'argent que les puissants lui ont extorqué. Tôt ou tard tout devient vénal sous une pareille administration, et la paix, dont on jouit alors sous les rois, est pire que le désordre des interrègnes. Qu'a-t-on fait pour prévenir ces maux? On a rendu les couronnes héréditaires dans certaines familles; et l'on a établi un ordre de succession qui prévient toute dispute à la mort des rois; c'est-à-dire que, substituant l'inconvénient des régences à celui des élections, on a préféré une apparente tranquillité à une administration sage, et qu'on a mieux aimé risquer d'avoir pour chefs des enfants, des monstres, des imbéciles, que d'avoir à disputer sur le choix des bons rois. On n'a pas considéré qu'en s'exposant ainsi aux risques de l'alternative, on met presque toutes les chances contre soi. C'était un mot très sensé que celui du jeune Denys à qui son père, en lui reprochant une action honteuse, disait: "T'en ai-je donné l'exemple? Ah! répondit le fils, votre père n'était pas roi."

cause them to get into the highest positions at Court, but, as soon as they have got there, serve only to make their ineptitude clear to the public. The people is far less often mistaken in its choice than the prince; and a man of real worth among the king's ministers is almost as rare as a fool at the head of a republican government. Thus, when, by some fortunate chance, one of these born governors takes the helm of State in some monarchy that has been nearly overwhelmed by swarms of "gentlemanly" administrators, there is nothing but amazement at the resources he discovers, and his coming marks an era in his country's history.

For a monarchical State to have a chance of being well governed, its population and extent must be proportionate to the abilities of its governor. It is easier to conquer than to rule. With a long enough lever, the world could be moved with a single finger; to sustain it needs the shoulders of Hercules. However small a State may be, the prince is hardly ever big enough for it. When, on the other hand, it happens that the State is too small for its ruler, in these rare cases too it is ill governed, because the ruler, constantly pursuing his great designs, forgets the interests of the people, and makes it no less wretched by misusing the talents he has, than a ruler of less capacity would make it for want of those he had not. A kingdom should, so to speak, expand or contract with each reign, according to the prince's capabilities; but, the abilities of a senate being more constant in quantity, the State can then have permanent frontiers without the administration suffering.

The disadvantage that is most felt in monarchical government is the want of the continuous succession which, in both the other forms, provides an unbroken bond of union. When one king dies, another is needed; elections leave dangerous intervals and are full of storms; and unless the citizens are disinterested and upright to a degree which very seldom goes with this kind of government, intrigue and corruption abound. He to whom the State has sold itself can hardly help selling it in his turn and repaying himself, at the expense of the weak, the money the powerful have wrung from him. Under such an administration, venality sooner or later spreads through every part, and peace so enjoyed under a king is worse than the disorders of an interregnum.

What has been done to prevent these evils? Crowns have been made hereditary in certain families, and an order of succession has been set up, to prevent disputes from arising on the death of kings. That is to say, the disadvantages of regency have been put in place of those of election, apparent tranquillity has been preferred to wise administration, and men have chosen rather to risk having children, monstrosities, or imbeciles as rulers to having disputes over the choice of good kings. It has not been taken into account that, in so exposing ourselves to the risks this possibility entails, we are setting almost all the chances against us. There was sound sense in what the younger Dionysius said to his father, who reproached him for doing some shameful deed by asking, "Did I set you the example?" "No," answered his son, "but your father was not king."

Tout concourt à priver de justice et de raison un homme élevé pour commander aux autres. On prend beaucoup de peine, à ce qu'on dit, pour enseigner aux jeunes princes l'art de régner: il ne paraît pas que cette éducation leur profite. On ferait mieux de commencer par leur enseigner l'art d'obéir. Les plus grands rois qu'ait célébrés l'histoire n'ont point été élevés pour régner; c'est une science qu'on ne possède jamais moins qu'après l'avoir trop apprise, et qu'on acquiert mieux en obéissant qu'en commandant. "Nam utilissimus idem ac brevissimus bonarum malarumque rerum delectus, cogitare quid aut nolueris sub alio principe, aut volueris."[22]

Une suite de ce défaut de cohérence est l'inconstance du gouvernement royal, qui, se réglant tantôt sur un plan et tantôt sur un autre, selon le caractère du prince qui règne ou des gens qui règnent pour lui, ne peut avoir longtemps un objet fixe ni une conduite conséquente; variation qui rend toujours l'État flottant de maxime en maxime, de projet en projet, et qui n'a pas lieu dans les autres gouvernements, où le prince est toujours le même. Aussi voit-on qu'en général, s'il y a plus de ruse dans une cour, il y a plus de sagesse dans un sénat, et que les républiques vont à leurs fins par des vues plus constantes et mieux suivies; au lieu que chaque révolution dans le ministère en produit une dans l'État, la maxime commune à tous les ministres, et presque à tous les rois, étant de prendre en toute chose le contre-pied de leurs prédécesseurs.

De cette même incohérence se tire encore la solution d'un sophisme très familier aux politiques royaux; c'est non seulement de comparer le gouvernement civil au gouvernement domestique, et le prince au père de famille, erreur déjà réfutée, mais encore de donner libéralement à ce magistrat toutes les vertus dont il aurait besoin, et de supposer toujours que le prince est ce qu'il devrait être: supposition à l'aide de laquelle le gouvernement royal est évidemment préférable à tout autre, parce qu'il est incontestablement le plus fort et que, pour être aussi le meilleur, il ne lui manque qu'une volonté du corps plus conforme à la volonté générale.

Mais si, selon Platon[23], le roi par nature est un personnage si rare, combien de fois la nature et la fortune concourront-elles à le couronner? Et si l'éducation royale corrompt nécessairement ceux qui la reçoivent, que doit-on espérer d'une suite d'hommes élevés pour régner? C'est donc bien vouloir s'abuser que de confondre le gouvernement royal avec celui d'un bon roi. Pour voir ce qu'est ce gouvernement en lui-même, il faut le considérer sous des princes bornés ou méchants; car ils arriveront tels au trône, ou le trône les rendra tels.

Ces difficultés n'ont pas échappé à nos auteurs; mais ils n'en sont point embarrassés.

---

22 Tacite: *Hist.*, L. I.
23 *In Civili.*

Everything conspires to take away from a man who is set in authority over others the sense of justice and reason. Much trouble, we are told, is taken to teach young princes the art of reigning; but their education seems to do them no good. It would be better to begin by teaching them the art of obeying. The greatest kings whose praises history tells were not brought up to reign: reigning is a science we are never so far from possessing as when we have learnt too much of it, and one we acquire better by obeying than by commanding. "Nam utilissimus idem ac brevissimus bonarum malarumque rerum delectus cogitare quid aut nolueris sub alio principe, aut volueris."[22]

One result of this lack of coherence is the inconstancy of royal government, which, regulated now on one scheme and now on another, according to the character of the reigning prince or those who reign for him, cannot for long have a fixed object or a consistent policy — and this variability, not found in the other forms of government, where the prince is always the same, causes the State to be always shifting from principle to principle and from project to project. Thus we may say that generally, if a court is more subtle in intrigue, there is more wisdom in a senate, and Republics advance towards their ends by more consistent and better considered policies; while every revolution in a royal ministry creates a revolution in the State; for the principle common to all ministers and nearly all kings is to do in every respect the reverse of what was done by their predecessors.

This incoherence further clears up a sophism that is very familiar to royalist political writers; not only is civil government likened to domestic government, and the prince to the father of a family — this error has already been refuted — but the prince is also freely credited with all the virtues he ought to possess, and is supposed to be always what he should be. This supposition once made, royal government is clearly preferable to all others, because it is incontestably the strongest, and, to be the best also, wants only a corporate will more in conformity with the general will.

But if, according to Plato[23], the "king by nature" is such a rarity, how often will nature and fortune conspire to give him a crown? And, if royal education necessarily corrupts those who receive it, what is to be hoped from a series of men brought up to reign? It is, then, wanton self-deception to confuse royal government with government by a good king. To see such government as it is in itself, we must consider it as it is under princes who are incompetent or wicked: for either they will come to the throne wicked or incompetent, or the throne will make them so.

These difficulties have not escaped our writers, who, all the same, are not troubled

---

22 Tacitus, *Histories*, i. 16. "For the best, and also the shortest way of finding out what is good and what is bad is to consider what you would have wished to happen or not to happen, had another than you been Emperor."
23 In the *Statesman*.

Le remède est, disent-ils, d'obéir sans murmure; Dieu donne les mauvais rois dans sa colère, et il faut les supporter comme des châtiments du ciel. Ce discours est édifiant, sans doute; mais je ne sais s'il ne conviendrait pas mieux en chaire que dans un livre de politique. Que dire d'un médecin qui promet des miracles, et dont tout l'art est d'exhorter son malade à la patience? On sait bien qu'il faut souffrir un mauvais gouvernement quand on l'a; la question serait d'en trouver un bon.

Chapitre 3.7 Des gouvernements mixtes

A proprement parler, il n'y a point de gouvernement simple. Il faut qu'un chef unique ait des magistrats subalternes; il faut qu'un gouvernement populaire ait un chef. Ainsi, dans le partage de la puissance exécutive, il y a toujours gradation du. grand nombre au moindre, avec cette différence que tantôt le grand nombre dépend du petit, et tantôt le petit du grand.

Quelquefois il y a partage égal, soit quand les parties constitutives sont dans une dépendance mutuelle, comme dans le gouvernement d'Angleterre; soit quand l'autorité de chaque partie est indépendante, mais imparfaite, comme en Pologne. Cette dernière forme est mauvaise, parce qu'il n'y a point d'unité dans le gouvernement, et que l'État manque de liaison.

Lequel vaut le mieux d'un gouvernement simple ou d'un gouvernement mixte? Question fort agitée chez les politiques, et à laquelle il faut faire la même réponse que j'ai faite ci-devant sur toute forme de gouvernement.

Le gouvernement simple est le, meilleur en soi, par cela seul qu'il est simple. Mais quand la puissance exécutive ne dépend pas assez de la législative, c'est-à-dire quand il y a plus de rapport du prince au souverain que du peuple au prince, il faut remédier à ce défaut de proportion en divisant le gouvernement; car alors toutes ses parties n'ont pas moins d'autorité sur les sujets, et leur division les rend toutes ensemble moins fortes contre le souverain.

On prévient encore le même inconvénient en établissant des magistrats intermédiaires qui, laissant le gouvernement en son entier, servent seulement à balancer les deux puissances et à maintenir leurs droits respectifs. Alors le gouvernement n'est pas mixte, il est tempéré.

On peut remédier par des moyens semblables à l'inconvénient opposé et, quand le gouvernement est trop lâche, ériger des tribunaux pour le concentrer; cela se pratique dans toutes les démocraties. Dans le premier cas, on divise le gouvernement pour l'affaiblir, et dans le second, pour le renforcer; car les maximum de force et de faiblesse se trouvent également dans les gouvernements simples, au lieu que les formes mixtes donnent une force moyenne.

by them. The remedy, they say, is to obey without a murmur: God sends bad kings in His wrath, and they must be borne as the scourges of Heaven. Such talk is doubtless edifying; but it would be more in place in a pulpit than in a political book. What are we to think of a doctor who promises miracles, and whose whole art is to exhort the sufferer to patience? We know for ourselves that we must put up with a bad government when it is there; the question is how to find a good one.

Chapter 3.7 Mixed Governments

Strictly speaking, there is no such thing as a simple government. An isolated ruler must have subordinate magistrates; a popular government must have a head. There is therefore, in the distribution of the executive power, always a gradation from the greater to the lesser number, with the difference that sometimes the greater number is dependent on the smaller, and sometimes the smaller on the greater. Sometimes the distribution is equal, when either the constituent parts are in mutual dependence, as in the government of England, or the authority of each section is independent, but imperfect, as in Poland. This last form is bad; for it secures no unity in the government, and the State is left without a bond of union. Is a simple or a mixed government the better? Political writers are always debating the question, which must be answered as we have already answered a question about all forms of government.

Simple government is better in itself, just because it is simple. But when the executive power is not sufficiently dependent upon the legislative power, i.e., when the prince is more closely related to the Sovereign than the people to the prince, this lack of proportion must be cured by the division of the government; for all the parts have then no less authority over the subjects, while their division makes them all together less strong against the Sovereign.

The same disadvantage is also prevented by the appointment of intermediate magistrates, who leave the government entire, and have the effect only of balancing the two powers and maintaining their respective rights. Government is then not mixed, but moderated. The opposite disadvantages may be similarly cured, and, when the government is too lax, tribunals may be set up to concentrate it. This is done in all democracies. In the first case, the government is divided to make it weak; in the second, to make it strong: for the maxima of both strength and weakness are found in simple governments, while the mixed forms result in a mean strength.

Chapitre 3.8 Que toute forme de gouvernement n'est pas propre à tout pays

La liberté, n'étant pas un fruit de tous les climats, n'est pas à la portée de tous les peuples. Plus on médite ce principe établi par Montesquieu plus On en sent la vérité; plus on le conteste, plus on donne occasion de l'établir par de nouvelles preuves.

Dans tous les gouvernements du monde, la personne publique consomme et ne produit rien. D'où lui vient donc la substance consommée? Du travail de ses membres. C'est le superflu des particuliers qui produit le nécessaire du public. D'où il suit que l'État civil ne peut subsister qu'autant que le travail des hommes rend au-delà de leurs besoins.

Or, cet excédent n'est pas le même dans tous les pays du monde. Dans plusieurs il est considérable, dans d'autres médiocre, dans d'autres nul, dans d'autres négatif. Ce rapport dépend de la fertilité du climat, de la sorte de travail que la terre exige, de la nature de ses productions, de la force de ses habitants, de la plus ou moins grande consommation qui leur est nécessaire, et de plusieurs autres rapports semblables desquels il est composé.

D'autre part, tous les gouvernements ne sont pas de même nature; il y en a de plus ou moins dévorants; et les différences sont fondées sur cet autre principe que, plus les contributions publiques s'éloignent de leur source, et plus elles sont onéreuses. Ce n'est pas sur la quantité des impositions qu'il faut mesurer cette charge, mais sur le chemin qu'elles ont à faire pour retourner dans les mains dont elles sont sorties. Quand cette circulation est prompte et bien établie, qu'on paye peu ou beaucoup, il n'importe, le peuple est toujours riche, et les finances vont toujours bien. Au contraire, quelque peu que le peuple donne, quand ce peu ne lui revient point, en donnant toujours, bientôt il s'épuise: l'État n'est jamais riche et le peuple est toujours gueux.

Il suit de là que plus la distance du peuple au gouvernement augmente, et plus les tributs deviennent onéreux: ainsi, dans la démocratie' le peuple est le moins chargé; dans l'aristocratie, il l'est davantage; dans la monarchie, il porte le plus grand poids. La monarchie ne convient donc qu'aux nations opulentes; J'aristocratie, aux États médiocres en richesse ainsi qu'en grandeur; la démocratie, aux États petits et pauvres.

En effet, plus on y réfléchit, plus on trouve en ceci de différence entre les États libres rit les monarchiques. Dans les premiers, tout s'emploie à l'utilité commune; dans les autres, les forces publiques et particulières sont réciproques; et l'une s'augmente par l'affaiblissement de l'autre: enfin, au lieu de gouverner les sujets pour les rendre heureux, le despotisme les rend misérables pour les gouverner.

Voilà donc, dans chaque climat, des causes naturelles sur lesquelles on peut assigner la forme de gouvernement à laquelle la force du climat l'entraîne, et dire même quelle espèce d'habitants il doit avoir.

8. That All Forms of Government Do Not Suit All Countries

Liberty, not being a fruit of all climates, is not within the reach of all peoples. The more this principle, laid down by Montesquieu, is considered, the more its truth is felt; the more it is combated, the more chance is given to confirm it by new proofs. In all the governments that there are, the public person consumes without producing. Whence then does it get what it consumes? From the labour of its members. The necessities of the public are supplied out of the superfluities of individuals. It follows that the civil State can subsist only so long as men's labour brings them a return greater than their needs.

The amount of this excess is not the same in all countries. In some it is considerable, in others middling, in yet others nil, in some even negative. The relation of product to subsistence depends on the fertility of the climate, on the sort of labour the land demands, on the nature of its products, on the strength of its inhabitants, on the greater or less consumption they find necessary, and on several further considerations of which the whole relation is made up.

On the other side, all governments are not of the same nature: some are less voracious than others, and the differences between them are based on this second principle, that the further from their source the public contributions are removed, the more burdensome they become. The charge should be measured not by the amount of the impositions, but by the path they have to travel in order to get back to those from whom they came. When the circulation is prompt and well-established, it does not matter whether much or little is paid; the people is always rich and, financially speaking, all is well. On the contrary, however little the people gives, if that little does not return to it, it is soon exhausted by giving continually: the State is then never rich, and the people is always a people of beggars.

It follows that, the more the distance between people and government increases, the more burdensome tribute becomes: thus, in a democracy, the people bears the least charge; in an aristocracy, a greater charge; and, in monarchy, the weight becomes heaviest. Monarchy therefore suits only wealthy nations; aristocracy, States of middling size and wealth; and democracy, States that are small and poor. In fact, the more we reflect, the more we find the difference between free and monarchical States to be this: in the former, everything is used for the public advantage; in the latter, the public forces and those of individuals are affected by each other, and either increases as the other grows weak; finally, instead of governing subjects to make them happy, despotism makes them wretched in order to govern them.

We find then, in every climate, natural causes according to which the form of government which it requires can be assigned, and we can even say what sort of inhabitants it should have.

Les lieux ingrats et stériles, où le produit ne vaut pas le travail, doivent rester incultes et déserts, ou seulement peuplés de sauvages: les lieux où le travail des hommes ne rend exactement que le nécessaire doivent être habités par des peuples barbares; toute politie y serait impossible; les lieux où l'excès du produit sur le travail est médiocre conviennent aux peuples libres; ceux où le terroir abondant et fertile donne beaucoup de produit pour peu de travail veulent être gouvernés monarchiquement, pour consumer par le luxe du prince l'excès du superflu des sujets; car il vaut mieux que cet excès soit absorbé par le gouvernement que dissipé par les particuliers. Il y a des exceptions, je le sais; mais ces exceptions mêmes confirment la règle, en ce qu'elles produisent tôt ou tard des révolutions qui ramènent les choses dans l'ordre de la nature.

Distinguons toujours les lois générales des causes particulières qui peuvent en modifier l'effet. Quand tout le Midi serait couvert de républiques, et tout le Nord d'États despotiques, il n'en serait pas moins vrai que, par l'effet du climat, le despotisme convient aux pays chauds, la barbarie aux pays froids, et la bonne politie aux régions intermédiaires. Je vois encore qu'en accordant le principe, on pourra disputer sur l'application: on pourra dire qu'il y a des pays froids très fertiles, et des méridionaux très ingrats. Mais cette difficulté n'en est une que pour ceux qui n'examinent pas la chose dans tous ses rapports. Il faut, comme je l'ai déjà dit, compter sur des travaux, des forces, de la consommation, etc.

Supposons que de deux terrains égaux l'un rapporte cinq et l'autre dix. Si les habitants du premier consomment quatre et ceux du dernier neuf, l'excès du premier produit sera un cinquième, et celui du second un dixième. Le rapport de ces deux excès étant donc inverse de celui des produits, le terrain qui ne produira que cinq donnera un superflu double de celui du terrain qui produira dix.

Mais il n'est pas question d'un produit double, et je ne crois pas que personne ose mettre en général la fertilité des pays froids en égalité même avec celle des pays chauds. Toutefois supposons cette égalité; laissons, si l'on veut, en balance l'Angleterre avec la Sicile, et la Pologne avec l'Égypte: plus au midi, nous aurons l'Afrique et les Indes; plus au nord, nous n'aurons plus rien. Pour cette égalité de produit, quelle différence dans la culturel En Sicile, il ne faut que gratter la terre; en Angleterre, que de soins pour la labourer! Or, là où il faut plus de bras pour donner le même produit, le superflu doit être nécessairement moindre.

Considérez, outre cela, que la même quantité d'hommes consomme beaucoup moins dans les pays chauds. Le climat demande qu'on y soit sobre pour se porter bien: les Européens qui veulent y vivre comme chez eux périssent tous de dysenterie et d'indigestion. "Nous sommes, dit Chardin, des bêtes carnassières, des loups, en comparaison des Asiatiques. Quelques-uns attribuent la sobriété des Persans à ce que leur pays est moins cultivé et moi, je crois au contraire que leur pays abonde moins en denrées parce qu'il en faut moins aux habitants. Si leur frugalité, continue-t-il, était un effet de la disette du pays, il n'y aurait que les

Unfriendly and barren lands, where the product does not repay the labour, should remain desert and uncultivated, or peopled only by savages; lands where men's labour brings in no more than the exact minimum necessary to subsistence should be inhabited by barbarous peoples: in such places all polity is impossible. Lands where the surplus of product over labour is only middling are suitable for free peoples; those in which the soil is abundant and fertile and gives a great product for a little labour call for monarchical government, in order that the surplus of superfluities among the subjects may be consumed by the luxury of the prince: for it is better for this excess to be absorbed by the government than dissipated among the individuals. I am aware that there are exceptions; but these exceptions themselves confirm the rule, in that sooner or later they produce revolutions which restore things to the natural order.

General laws should always be distinguished from individual causes that may modify their effects. If all the South were covered with Republics and all the North with despotic States, it would be none the less true that, in point of climate, despotism is suitable to hot countries, barbarism to cold countries, and good polity to temperate regions. I see also that, the principle being granted, there may be disputes on its application; it may be said that there are cold countries that are very fertile, and tropical countries that are very unproductive. But this difficulty exists only for those who do not consider the question in all its aspects. We must, as I have already said, take labour, strength, consumption, etc., into account.

Take two tracts of equal extent, one of which brings in five and the other ten. If the inhabitants of the first consume four and those of the second nine, the surplus of the first product will be a fifth and that of the second a tenth. The ratio of these two surpluses will then be inverse to that of the products, and the tract which produces only five will give a surplus double that of the tract which produces ten. But there is no question of a double product, and I think no one would put the fertility of cold countries, as a general rule, on an equality with that of hot ones. Let us, however, suppose this equality to exist: let us, if you will, regard England as on the same level as Sicily, and Poland as Egypt — further south, we shall have Africa and the Indies; further north, nothing at all. To get this equality of product, what a difference there must be in tillage: in Sicily, there is only need to scratch the ground; in England, how men must toil! But, where more hands are needed to get the same product, the superfluity must necessarily be less.

Consider, besides, that the same number of men consume much less in hot countries. The climate requires sobriety for the sake of health; and Europeans who try to live there as they would at home all perish of dysentery and indigestion. "We are," says Chardin, "carnivorous animals, wolves, in comparison with the Asiatics. Some attribute the sobriety of the Persians to the fact that their country is less cultivated; but it is my belief that their country abounds less in commodities because the inhabitants need less. If their frugality," he goes on, "were the effect of

pauvres qui mangeraient peu, au lieu que c'est généralement tout le monde; et on mangerait plus ou moins en chaque province, selon la fertilité du pays, au lieu que la même sobriété se trouve par tout le royaume. Ils se louent fort de leur manière de vivre, disant qu'il ne faut que regarder leur teint pour reconnaître combien elle est plus excellente que celle des chrétiens. En effet, le teint des Persans est uni, ils ont la peau belle, fine et polie; au lieu que le teint des Arméniens, leurs sujets, qui vivent à l'européenne, est rude, couperosé, et que leurs corps sont gros et pesants." Plus on approche de la ligne, plus les peuples vivent de peu. Ils ne mangent presque pas de viande; le riz, le maïs, le cuzcuz, le mil, la cassave, sont leurs aliments ordinaires. Il y a aux Indes des millions d'hommes dont la nourriture ne coûte pas un sou par jour. Nous voyons en Europe même des différences sensibles pour l'appétit entre les peuples du Nord et ceux du Midi. Un Espagnol vivra huit jours du dîner d'un Allemand. Dans les pays où les hommes sont plus voraces, le luxe se tourne aussi vers les choses de consommation: en Angleterre il se montre sur une table chargée de viandes; en Italie on vous régale de sucre et de fleurs. Le luxe des vêtements offre encore de semblables différences. Dans les climats où les changements de saisons sont prompts et violents, on a des habits meilleurs et plus simples; dans ceux où l'on ne s'habille que pour la parure, on y cherche plus d'éclat que d'utilité; les habits eux-mêmes y sont un luxe. À Naples, vous verrez tous les jours se promener, au Pausilippe des hommes en veste dorée, et point de bas. C'est la même chose pour les bâtiments: on donne tout à la magnificence quand on n'a rien à craindre des injures de l'air. À Paris, à Londres, on veut être logé chaudement et commodément; à Madrid, en a des salons superbes, mais point de fenêtres qui ferment, et l'on couche dans des nids à rats. Les aliments sont beaucoup plus substantiels et succulents dans les pays chauds; c'est une troisième différence qui ne peut manquer d'influer sur la seconde. Pourquoi mange-t-on tant de légumes en Italie? Parce qu'ils y sont bons, nourrissants, d'excellent goût. En France, où ils ne sont nourris que d'eau, ils ne nourrissent point, et sont presque comptés pour rien sur les tables; ils n'occupent pourtant pas moins de terrain et coûtent du moins autant de peine à cultiver. C'est une expérience faite que les blés de Barbarie, d'ailleurs inférieurs à ceux de France, rendent beaucoup plus en farine et que ceux de France, à leur tour, rendent plus que les blés du Nord. D'où l'on peut inférer qu'une gradation semblable s'observe généralement dans la même direction de la ligne au pôle. Or, n'est-ce pas un désavantage visible d'avoir dans un produit égal une moindre quantité d'aliments? A toutes ces différentes considérations, j'en puis ajouter une qui en découle et qui les fortifie; c'est que les pays chauds ont moins besoin d'habitants que les pays froids, et pourraient en nourrir davantage; ce qui produit un double superflu toujours à l'avantage du despotisme. Plus le même nombre d'habitants occupe une grande surface, plus les révoltes deviennent difficiles, parce qu'on ne peut se concerter ni promptement ni secrètement, et qu'il est toujours facile au

the nakedness of the land, only the poor would eat little; but everybody does so. Again, less or more would be eaten in various provinces, according to the land's fertility; but the same sobriety is found throughout the kingdom. They are very proud of their manner of life, saying that you have only to look at their hue to recognise how far it excels that of the Christians. In fact, the Persians are of an even hue; their skins are fair, fine and smooth; while the hue of their subjects, the Armenians, who live after the European fashion, is rough and blotchy, and their bodies are gross and unwieldy."

The nearer you get to the equator, the less people live on. Meat they hardly touch; rice, maize, curcur, millet and cassava are their ordinary food. There are in the Indies millions of men whose subsistence does not cost a halfpenny a day. Even in Europe we find considerable differences of appetite between Northern and Southern peoples. A Spaniard will live for a week on a German's dinner. In the countries in which men are more voracious, luxury therefore turns in the direction of consumption. In England, luxury appears in a well-filled table; in Italy, you feast on sugar and flowers.

Luxury in clothes shows similar differences. In climates in which the changes of season are prompt and violent, men have better and simpler clothes; where they clothe themselves only for adornment, what is striking is more thought of than what is useful; clothes themselves are then a luxury. At Naples, you may see daily walking in the Pausilippeum men in gold-embroidered upper garments and nothing else. It is the same with buildings; magnificence is the sole consideration where there is nothing to fear from the air. In Paris and London, you desire to be lodged warmly and comfortably; in Madrid, you have superb salons, but not a window that closes, and you go to bed in a mere hole.

In hot countries foods are much more substantial and succulent; and the third difference cannot but have an influence on the second. Why are so many vegetables eaten in Italy? Because there they are good, nutritious and excellent in taste. In France, where they are nourished only on water, they are far from nutritious and are thought nothing of at table. They take up all the same no less ground, and cost at least as much pains to cultivate. It is a proved fact that the wheat of Barbary, in other respects inferior to that of France, yields much more flour, and that the wheat of France in turn yields more than that of northern countries; from which it may be inferred that a like gradation in the same direction, from equator to pole, is found generally. But is it not an obvious disadvantage for an equal product to contain less nourishment?

To all these points may be added another, which at once depends on and strengthens them. Hot countries need inhabitants less than cold countries, and can support more of them. There is thus a double surplus, which is all to the advantage of despotism. The greater the territory occupied by a fixed number of inhabitants, the more difficult revolt becomes, because rapid or secret concerted action is

gouvernement d'éventer les projets et de couper les communications. Mais plus un peuple nombreux se rapproche, moins le gouvernement peut usurper sur le souverain; les chefs délibèrent aussi, sûrement dans leurs chambres que le prince dans son conseil, et la foule s'assemble aussitôt dans les places que les troupes dans leurs quartiers. L'avantage d'un gouvernement tyrannique est donc en ceci d'agir à grandes distances. À l'aide des points d'appui qu'il se donne, sa force augmente au loin comme celle des leviers[24]. Celle du peuple, au contraire, n'agit que concentrée; elle s'évapore et se perd en s'étendant, comme l'effet de la poudre éparse à terre, et qui ne prend feu que grain à grain. Les pays les moins peuplés sont ainsi les plus propres à la tyrannie; les bêtes féroces ne règnent que dans les déserts.

Chapitre 3.9 Des signes d'un bon gouvernement

Quand donc on demande absolument quel est le meilleur gouvernement, on fait une question insoluble comme indéterminée; ou, si l'on veut, elle a autant de bonnes solutions qu'il y a de combinaisons possibles dans les positions absolues et relatives des peuples.

Mais si l'on demandait à quel signe on peut connaître qu'un peuple donné est bien ou mal gouverné, ce serait autre chose, et la question de fait pourrait se résoudre. Cependant on ne la résout point, parce que chacun veut la résoudre à sa manière. Les sujets vantent la tranquillité publique, les citoyens la liberté des particuliers; l'un préfère la sûreté des possessions, et l'autre celle des personnes; l'un veut que le meilleur gouvernement soit le plus sévère, l'autre soutient que c'est le plus doux; celui-ci veut qu'on punisse les crimes, et celui-là qu'on les prévienne; l'un trouve beau qu'on soit craint des voisins, l'autre aime mieux qu'on en soit ignoré; l'un est content quand l'argent circule, l'autre exige que le peuple ait du pain. Quand même on conviendrait sur ces points et d'autres semblables, en serait-on plus avancé? Les qualités morales manquant de mesure précise, fût-on d'accord sur le signe, comment l'être sur l'estimation?

Pour moi, je m'étonne toujours qu'on méconnaisse un signe aussi simple, ou qu'on ait la mauvaise foi de n'en pas convenir. Quelle est la fin de l'association politique? C'est la conservation et la prospérité de ses membres. Et quel est le signe le plus sûr qu'ils se conservent et prospèrent? C'est leur nombre et leur population. N'allez donc pas chercher ailleurs ce signe si disputé. Toute chose d'ailleurs égale, le gouvernement sous lequel, sans moyens étrangers, sans naturalisation, sans

---

24 Ceci ne contredit pas ce que j'ai dit ci-devant, L, II, chap. IX, sur les inconvénients des grands Etats: car il s'agissait là de l'autorité du gouvernement sur ses membres, et il s'agit ici de sa force contre les sujets. Ses membres épars lui servent de points d'appui pour agir au loin sur le peuple, mais il n'a nul point d'appui pour agir directement sur ces membres mêmes. Ainsi dans l'un des cas la longueur du levier en fait la faiblesse, et la force dans l'autre cas.

impossible, and the government can easily unmask projects and cut communications; but the more a numerous people is gathered together, the less can the government usurp the Sovereign's place: the people's leaders can deliberate as safely in their houses as the prince in council, and the crowd gathers as rapidly in the squares as the prince's troops in their quarters. The advantage of tyrannical government therefore lies in acting at great distances. With the help of the rallying-points it establishes, its strength, like that of the lever[24], grows with distance. The strength of the people, on the other hand, acts only when concentrated: when spread abroad, it evaporates and is lost, like powder scattered on the ground, which catches fire only grain by grain. The least populous countries are thus the fittest for tyranny: fierce animals reign only in deserts.

Chapter 3.9 The Marks of a Good Government

The question "What absolutely is the best government?" is unanswerable as well as indeterminate; or rather, there are as many good answers as there are possible combinations in the absolute and relative situations of all nations.
But if it is asked by what sign we may know that a given people is well or ill governed, that is another matter, and the question, being one of fact, admits of an answer.
It is not, however, answered, because everyone wants to answer it in his own way. Subjects extol public tranquillity, citizens individual liberty; the one class prefers security of possessions, the other that of person; the one regards as the best government that which is most severe, the other maintains that the mildest is the best; the one wants crimes punished, the other wants them prevented; the one wants the State to be feared by its neighbours, the other prefers that it should be ignored; the one is content if money circulates, the other demands that the people shall have bread. Even if an agreement were come to on these and similar points, should we have got any further? As moral qualities do not admit of exact measurement, agreement about the mark does not mean agreement about the valuation.
For my part, I am continually astonished that a mark so simple is not recognised, or that men are of so bad faith as not to admit it. What is the end of political association? The preservation and prosperity of its members. And what is the surest mark of their preservation and prosperity? Their numbers and population. Seek then nowhere else this mark that is in dispute. The rest being equal, the government under which, without external aids, without naturalisation or

---

24 This does not contradict what I said before (Book II, ch. 9) about the disadvantages of great States; for we were then dealing with the authority of the government over the members, while here we are dealing with its force against the subjects. Its scattered members serve it as rallying-points for action against the people at a distance, but it has no rallying-point for direct action on its members themselves. Thus the length of the lever is its weakness in the one case, and its strength in the other.

colonies, les citoyens peuplent et multiplient davantage, est infailliblement le
meilleur. Celui sous lequel un peuple diminue et dépérit est le pire. Calculateurs,
c'est maintenant votre affaire; comptez, mesurez, comparez[25].

Chapitre 3.10 De l'abus du gouvernement et de sa pente à dégénérer

Comme la volonté particulière agit sans cesse contre la volonté générale, ainsi le
gouvernement fait un effort continuel contre la souveraineté. Plus cet effort
augmente, plus la constitution s'altère; et comme il n'y a point ici d'autre volonté
de corps qui, résistant à celle du prince, fasse équilibre avec elle, il doit arriver tôt
ou tard que le prince opprime enfin le souverain et rompe le traité social. C'est là le
vice inhérent, et inévitable qui, dès la naissance du corps politique, tend sans
relâche à le détruire, de même que la vieillesse et la mort détruisent enfin le corps
de l'homme.

Il y a deux voies générales par lesquelles un gouvernement dégénère: savoir, quand
il se resserre, ou quand l'État se dissout.

Le gouvernement se resserre quand il passe du grand nombre au petit, c'est-à-dire
de la démocratie à l'aristocratie, et de l'aristocratie à la royauté. C'est là son
inclinaison naturelle[26]. S'il rétrogradait du petit nombre au grand, on pourrait dire

---

25 On doit juger sur le même principe des siècles qui méritent la préférence pour la prospérité du genre
humain. On a trop admiré ceux où l'on a vu fleurir les lettres et les arts, sans pénétrer l'objet secret de
leur culture, sans en considérer le funeste effet, *idque apud imperitos humanitas vocabatur, cum pars
servitutis esset.* Ne verrons-nous jamais dans les maximes des livres l'intérêt grossier qui fait parler les
auteurs? Non, quoi qu'ils en puissent dire, quand malgré son éclat un pays se dépeuple il n'est pas vrai
que tout aille bien, et il ne suffit pas qu'un poète ait cent mille livres de rente pour que son siècle soit le
meilleur de tous. Il faut moins regarder au repos apparent, et à la tranquillité des chefs, qu'au bien-être
des nations entières et surtout des Etats les plus nombreux. La grêle désole quelques cantons, mais elle
fait rarement disette. Les émeutes, les guerres civiles effarouchent beaucoup les chefs, mais elles ne font
pas les vrais malheurs des peuples, qui peuvent même avoir du relâche tandis qu'on dispute à qui les
tyrannisera. C'est de leur état permanent que naissent leurs prospérités ou leurs calamités réelles; quand
tout reste écrasé sous le joug, c'est alors que tout dépérit; c'est alors que les chefs les détruisant à leur
aise, *ubi solitudinem faciunt, pacem appellant.* Quand les tracasseries des grands agitaient le royaume de
France, et que le coadjuteur de Paris portait au parlement un poignard dans sa poche cela n'empêchait
pas que le peuple français ne vécût heureux et nombreux dans une honnête et libre aisance. Autrefois la
Grèce fleurissait au sein des plus cruelles guerres; le sang y coulait à flots, et tout le pays était couvert
d'hommes. Il semblait, dit Machiavel, qu'au milieu des meurtres, des proscriptions, des guerres civiles,
notre république en devînt plus puissante; la vertu de ses citoyens, leurs moeurs, leur indépendance
avaient plus d'effet pour la renforcer que toutes ses dissensions n'en avaient pour l'affaiblir. Un peu
d'agitation donne du ressort aux âmes, et ce qui fait vraiment prospérer l'espèce est moins la paix que la
liberté.
26 La formation lente et le progrès de la république de Venise dans ses lagunes offre un exemple notable
de cette succession; et il est bien étonnant que depuis plus de douze cents ans les Vénitiens semblent
n'en être encore qu'au second terme, lequel commença au *Serrar di Consiglio* en 1198. Quant aux
anciens ducs qu'on leur reproche, quoi qu'en puisse dire le *squitinio della libertà veneta*, il est prouvé
qu'ils n'ont point été leurs souverains. On ne manquera pas de m'objecter la République romaine qui
suivit, dira-t-on, un progrès tout contraire, passant de la monarchie à l'aristocratie, et de l'aristocratie à

colonies, the citizens increase and multiply most, is beyond question the best. The government under which a people wanes and diminishes is the worst. Calculators, it is left for you to count, to measure, to compare[25].

Chapter 3.10 The Abuse of Government and its Tendency to Degenerate

As the particular will acts constantly in opposition to the general will, the government continually exerts itself against the Sovereignty. The greater this exertion becomes, the more the constitution changes; and, as there is in this case no other corporate will to create an equilibrium by resisting the will of the prince, sooner or later the prince must inevitably suppress the Sovereign and break the social treaty. This is the unavoidable and inherent defect which, from the very birth of the body politic, tends ceaselessly to destroy it, as age and death end by destroying the human body.

There are two general courses by which government degenerates: i.e., when it undergoes contraction, or when the State is dissolved. Government undergoes contraction when it passes from the many to the few, that is, from democracy to aristocracy, and from aristocracy to royalty. To do so is its natural propensity[26]. If it

---

25 On the same principle it should be judged what centuries deserve the preference for human prosperity. Those in which letters and arts have flourished have been too much admired, because the hidden object of their culture has not been fathomed, and their fatal effects not taken into account. *"Idque apud imperitos humanitas vocabatur, cum pars servitutis esset."* (Fools called "humanity" what was a part of slavery, Tacitus, *Agricola*, 31.) Shall we never see in the maxims books lay down the vulgar interest that makes their writers speak? No, whatever they may say, when, despite its renown, a country is depopulated, it is not true that all is well, and it is not enough that a poet should have an income of 100,000 francs to make his age the best of all. Less attention should be paid to the apparent repose and tranquillity of the rulers than to the well-being of their nations as wholes, and above all of the most numerous States. A hail-storm lays several cantons waste, but it rarely makes a famine. Outbreaks and civil wars give rulers rude shocks, but they are not the real ills of peoples, who may even get a respite, while there is a dispute as to who shall tyrannise over them. Their true prosperity and calamities come from their permanent condition: it is when the whole remains crushed beneath the yoke, that decay sets in, and that the rulers destroy them at will, and *"ubi solitudinem faciunt, pacem appellant."* (Where they create solitude, they call it peace, Tacitus, *Agricola*, 31.) When the bickerings of the great disturbed the kingdom of France, and the Coadjutor of Paris took a dagger in his pocket to the Parliament, these things did not prevent the people of France from prospering and multiplying in dignity, ease and freedom. Long ago Greece flourished in the midst of the most savage wars; blood ran in torrents, and yet the whole country was covered with inhabitants. It appeared, says Machiavelli, that in the midst of murder, proscription and civil war, our republic only throve: the virtue, morality and independence of the citizens did more to strengthen it than all their dissensions had done to enfeeble it. A little disturbance gives the soul elasticity; what makes the race truly prosperous is not so much peace as liberty.

26 The slow formation and the progress of the Republic of Venice in its lagoons are a notable instance of this sequence; and it is most astonishing that, after more than twelve hundred years' existence, the Venetians seem to be still at the second stage, which they reached with the *Serrar di Consiglio* in 1198. As for the ancient Dukes who are brought up against them, it is proved, whatever the *Squittinio della libertà veneta* may say of them, that they were in no sense sovereigns. A case certain to be cited against

qu'il se relâche mais ce progrès inverse est impossible.

En effet, jamais le gouvernement ne change de forme que quand son ressort usé le laisse trop affaibli pour pouvoir conserver la sienne. Or, s'il se relâchait encore en s'étendant, sa force deviendrait tout à fait nulle, et il subsisterait encore moins. Il faut donc remonter et serrer le ressort à mesure qu'il cède; autrement l'État qu'il soutient tomberait en ruine.

Le cas de la dissolution de l'État peut arriver de deux manières.

Premièrement, quand le prince n'administre plus l'État selon les lois, et qu'il usurpe le pouvoir souverain. Alors il se fait un changement remarquable; c'est que, non pas le gouvernement, mais l'État se resserre; je veux dire que le grand État se dissout, et qu'il s'en forme un autre dans celui-là, composé seulement des membres du gouvernement, et qui n'est plus rien au reste du peuple que son maître et son tyran. De sorte qu'à l'instant que le gouvernement usurpe la souveraineté, le pacte social est rompu; et tous les simples citoyens, rentrés de droit dans leur liberté naturelle, sont forcés, mais non pas obligés d'obéir.

Le même cas arrive aussi quand les membres du gouvernement usurpent séparément le pouvoir qu'ils ne doivent exercer qu'en corps; ce qui n'est pas une moindre infraction des lois, et produit encore un plus grand désordre. Alors on a, pour ainsi dire, autant de princes que de magistrats; et l'État, non moins divisé que le gouvernement, périt ou change de forme.

Quand l'État se dissout, l'abus du gouvernement, quel qu'il soit, prend le nom commun d'anarchie. En distinguant, la démocratie dégénère en ochlocratie,

---

la démocratie. Je suis bien éloigné d'en penser ainsi. Le premier établissement de Romulus fut un gouvernement mixte qui dégénéra promptement en despotisme. Par des causes particulières l'État périt avant le temps, comme on voit mourir un nouveau-né avant d'avoir atteint l'âge d'homme. L'expulsion des Tarquins fut la véritable époque de la naissance de la République. Mais elle ne prit pas d'abord une forme constante, parce qu'on ne fit que la moitié de l'ouvrage en n'abolissant pas le patriciat. Car de cette manière l'aristocratie héréditaire qui est la pire des administrations légitimes, restant en conflit avec la démocratie, la forme du gouvernement toujours incertaine et flottante ne fut fixée, comme l'a prouvé Machiavel, qu'à l'établissement des tribuns; alors seulement il y eut un vrai gouvernement et une véritable démocratie. En effet le peuple alors n'était pas seulement souverain mais aussi magistrat et juge, le Sénat n'était qu'un tribunal en sous-ordre pour tempérer ou concentrer le gouvernement, et les consuls eux-mêmes, bien que patriciens, bien que premiers magistrats, bien que généraux absolus à la guerre, n'étaient à Rome que les présidents du peuple. Dès lors on vit aussi le gouvernement prendre sa pente naturelle et tendre fortement à l'aristocratie. Le patriciat s'abolissant comme de lui-même, l'aristocratie n'était plus dans le corps des patriciens comme elle est à Venise et à Gênes, mais dans le corps du Sénat composé de patriciens et de plébéiens, même dans le corps des tribuns quand ils commencèrent d'usurper une puissance active: car les mots ne font rien aux choses, et quand le peuple a des chefs qui gouvernent pour lui, quelque nom que portent ces chefs, c'est toujours une aristocratie. De l'abus de l'aristocratie naquirent les guerres civiles et le triumvirat. Sylla, Jules César, Auguste devinrent dans le fait de véritables monarques, et enfin sous le despotisme de Tibère l'État fut dissous. L'histoire romaine ne dément donc pas mon principe; elle le confirme.

took the backward course from the few to the many, it could be said that it was relaxed; but this inverse sequence is impossible.

Indeed, governments never change their form except when their energy is exhausted and leaves them too weak to keep what they have. If a government at once extended its sphere and relaxed its stringency, its force would become absolutely nil, and it would persist still less. It is therefore necessary to wind up the spring and tighten the hold as it gives way: or else the State it sustains will come to grief.

The dissolution of the State may come about in either of two ways.

First, when the prince ceases to administer the State in accordance with the laws, and usurps the Sovereign power. A remarkable change then occurs: not the government, but the State, undergoes contraction; I mean that the great State is dissolved, and another is formed within it, composed solely of the members of the government, which becomes for the rest of the people merely master and tyrant. So that the moment the government usurps the Sovereignty, the social compact is broken, and all private citizens recover by right their natural liberty, and are forced, but not bound, to obey.

The same thing happens when the members of the government severally usurp the power they should exercise only as a body; this is as great an infraction of the laws, and results in even greater disorders. There are then, so to speak, as many princes as there are magistrates, and the State, no less divided than the government, either perishes or changes its form.

When the State is dissolved, the abuse of government, whatever it is, bears the common name of anarchy. To distinguish, democracy degenerates into ochlocracy,

---

my view is that of the Roman Republic, which, it will be said, followed exactly the opposite course, and passed from monarchy to aristocracy and from aristocracy to democracy. I by no means take this view of it. What Romulus first set up was a mixed government, which soon deteriorated into despotism. From special causes, the State died an untimely death, as new-born children sometimes perish without reaching manhood. The expulsion of the Tarquins was the real period of the birth of the Republic. But at first it took on no constant form, because, by not abolishing the patriciate, it left half its work undone. For, by this means, hereditary aristocracy, the worst of all legitimate forms of administration, remained in conflict with democracy, and the form of the government, as Machiavelli has proved, was only fixed on the establishment of the tribunate: only then was there a true government and a veritable democracy. In fact, the people was then not only Sovereign, but also magistrate and judge; the senate was only a subordinate tribunal, to temper and concentrate the government, and the consuls themselves, though they were patricians, first magistrates, and absolute generals in war, were in Rome itself no more than presidents of the people. From that point, the government followed its natural tendency, and inclined strongly to aristocracy. The patriciate, we may say, abolished itself, and the aristocracy was found no longer in the body of patricians as at Venice and Genoa, but in the body of the senate, which was composed of patricians and plebeians, and even in the body of tribunes when they began to usurp an active function: for names do not affect facts, and, when the people has rulers who govern for it, whatever name they bear, the government is an aristocracy. The abuse of aristocracy led to the civil wars and the triumvirate. Sulla, Julius Caesar and Augustus became in fact real monarchs; and finally, under the despotism of Tiberius, the State was dissolved. Roman history then confirms, instead of invalidating, the principle I have laid down.

l'aristocratie en oligarchie: j'ajouterais que la royauté dégénère en tyrannie, mais ce dernier mot est équivoque et demande explication.

Dans le sens vulgaire, un tyran est un roi qui gouverne avec violence et sans égard à la justice et aux lois. Dans le sens précis, un tyran est un particulier qui s'arroge l'autorité royale sans y avoir droit. C'est ainsi que les Grecs entendaient ce mot de tyran; ils le donnaient indifféremment aux bons et aux mauvais princes dont l'autorité n'était pas légitime[27]. Ainsi tyran et usurpateur sont deux mots parfaitement synonymes.

Pour donner différents noms à différentes choses, j'appelle tyran l'usurpateur de l'autorité royale, et despote l'usurpateur du pouvoir souverain. Le tyran est celui qui s'ingère contre les lois à gouverner selon les lois; le despote est celui qui se met au-dessus des lois mêmes. Ainsi le tyran peut n'être -pas despote, mais le despote est toujours tyran.

Chapitre 3.11 De la mort du corps politique

Telle est la pente naturelle et inévitable des gouvernements les mieux constitués. Si Sparte et Rome ont péri, quel État peut espérer de durer toujours? Si nous voulons former un établissement durable, ne songeons donc point à le rendre éternel. Pour réussir il ne faut pas tenter l'impossible, ni se flatter de donner à l'ouvrage des hommes une solidité que les choses humaines ne comportent pas.

Le corps politique, aussi bien que le corps de l'homme, commence à mourir dès sa naissance et porte en lui-même les causes de sa destruction. Mais l'un et l'autre peut avoir une constitution plus ou moins robuste et propre à le conserver plus ou moins longtemps. La constitution de l'homme est l'ouvrage de la nature; celle de l'État est l'ouvrage de l'art. Il ne dépend pas des hommes de prolonger leur vie, il dépend d'eux de prolonger celle de l'État aussi loin qu'il est possible, en lui donnant la meilleure constitution qu'il puisse avoir. Le mieux constitué finira, mais plus tard qu'un autre, si nul accident imprévu n'amène sa perte avant le temps.

Le principe de la vie politique est dans l'autorité souveraine. La puissance législative est le cœur de l'État, la puissance exécutive en est le cerveau, qui donne le mouvement à toutes les parties. Le cerveau peut tomber en paralysie et l'individu vivre encore. Un homme reste imbécile et vit; mais sitôt que le cœur a cessé ses fonctions, l'animal est mort.

Ce n'est point par les lois que l'État subsiste, c'est par le pouvoir législatif.

---

27 *Omnes enim et habentur et dicuntur Tyranni qui potestate utuntur perpetua, in ea Civitate quae libertate usa est.* Corn. Nep., in Miltiad. Il est vrai qu'Aristote, *Mor. de Nicom.*, l. VIII, c. 10 distingue le tyran du roi, en ce que le premier gouverne pour sa propre utilité et le second seulement pour l'utilité de ses sujets; mais outre que généralement tous les auteurs grecs ont pris le mot *tyran* dans un autre sens, comme il paraît surtout par le *Hiéron* de Xénophon, il s'ensuivrait de la distinction d'Aristote que depuis le commencement du monde il n'aurait pas encore existé un seul roi.

and aristocracy into oligarchy; and I would add that royalty degenerates into tyranny; but this last word is ambiguous and needs explanation.

In vulgar usage, a tyrant is a king who governs violently and without regard for justice and law. In the exact sense, a tyrant is an individual who arrogates to himself the royal authority without having a right to it. This is how the Greeks understood the word "tyrant": they applied it indifferently to good and bad princes whose authority was not legitimate[27]. Tyrant and usurper are thus perfectly synonymous terms.

In order that I may give different things different names, I call him who usurps the royal authority a tyrant, and him who usurps the sovereign power a despot. The tyrant is he who thrusts himself in contrary to the laws to govern in accordance with the laws; the despot is he who sets himself above the laws themselves. Thus the tyrant cannot be a despot, but the despot is always a tyrant.

Chapter 3.11 *The Death of the Body Politic*

Such is the natural and inevitable tendency of the best constituted governments. If Sparta and Rome perished, what State can hope to endure for ever? If we would set up a long-lived form of government, let us not even dream of making it eternal. If we are to succeed, we must not attempt the impossible, or flatter ourselves that we are endowing the work of man with a stability of which human conditions do not permit.

The body politic, as well as the human body, begins to die as soon as it is born, and carries in itself the causes of its destruction. But both may have a constitution that is more or less robust and suited to preserve them a longer or a shorter time. The constitution of man is the work of nature; that of the State the work of art. It is not in men's power to prolong their own lives; but it is for them to prolong as much as possible the life of the State, by giving it the best possible constitution. The best constituted State will have an end; but it will end later than any other, unless some unforeseen accident brings about its untimely destruction.

The life-principle of the body politic lies in the sovereign authority. The legislative power is the heart of the State; the executive power is its brain, which causes the movement of all the parts. The brain may become paralysed and the individual still live. A man may remain an imbecile and live; but as soon as the heart ceases to perform its functions, the animal is dead. The State subsists by means not of the

---

27 "*Omnes enim et habentur et dicuntur tyranni, qui potestate utuntur perpetua in ea civitate quæ libertate usa est*" (Cornelius Nepos, *Life of Miltiades*). (For all those are called and considered tyrants, who hold perpetual power in a State that has known liberty.) It is true that Aristotle (*Ethics*, Book viii, chapter x) distinguishes the tyrant from the king by the fact that the former governs in his own interest, and the latter only for the good of his subjects; but not only did all Greek authors in general use the word *tyrant* in a different sense, as appears most clearly in Xenophon's *Hiero*, but also it would follow from Aristotle's distinction that, from the very beginning of the world, there has not yet been a single king.

La loi d'hier n'oblige pas aujourd'hui: mais le consentement tacite est présumé du silence, et le souverain est censé confirmer incessamment les lois qu'il n'abroge pas, pouvant le faire. Tout ce qu'il a déclaré vouloir une fois, il le veut toujours, à moins qu'il ne le révoque.

Pourquoi donc porte-t-on tant de respect aux anciennes lois? C'est pour cela même. On doit croire qu'il n'y a que l'excellence des volontés antiques qui les ait pu conserver si longtemps; si le souverain ne les eût reconnues constamment salutaires, il les eût mille fois révoquées. Voilà pourquoi, loin de s'affaiblir, les lois acquièrent sans cesse une force nouvelle dans tout État bien constitué; le préjugé de l'antiquité les rend chaque jour plus vénérables: au heu que partout où les lois s'affaiblissent en vieillissant, cela prouve qu'il n'y a plus de pouvoir législatif, et que l'État ne vit plus.

Chapitre 3.12 Comment se maintient l'autorité souveraine

Le souverain, n'ayant d'autre force que la puissance législative, n'agit que par des lois; et les lois n'étant que des actes authentiques de la volonté générale, le souverain ne saurait agir que quand le peuple est assemblé. Le peuple assemblé, dira-t-on, quelle chimère! C'est une chimère aujourd'hui; mais ce n'en était pas une il y a deux mille ans. Les hommes ont-ils changé de nature?

Les bornes du possible, dans les choses morales, sont moins étroites que nous ne pensons; ce sont nos faiblesses, nos vices, nos préjugés, qui les rétrécissent. Les âmes basses ne croient point aux grands hommes: de vils esclaves sourient d'un air moqueur à ce mot de liberté.

Par ce qui s'est fait, considérons ce qui peut se faire. Je ne parlerai pas des anciennes républiques de la Grèce; mais la république romaine était, ce me semble, un grand État et la ville de Rome une grande ville. Le dernier cens donna dans Rome quatre cent mille citoyens portant armes, et le dernier dénombrement de l'empire plus de quatre millions de citoyens, sans compter les sujets, les étrangers, les femmes, les enfants, les esclaves.

Quelle difficulté n'imaginerait-on pas d'assembler fréquemment le peuple immense de cette capitale et de ces environs! Cependant, il se passait peu de semaines que le peuple romain ne fût assemblé, et même plusieurs fois. Non seulement il exerçait les droits de la souveraineté, mais une partie de ceux du gouvernement. Il traitait certaines affaires, il jugeait certaines causes, et tout ce peuple était sur la place publique presque aussi souvent magistrat que citoyen.

En remontant aux premiers temps des nations, on trouverait que la plupart des anciens gouvernements, même monarchiques, tels que ceux des Macédoniens et des Francs, avaient de semblables conseils. Quoi qu'il en soit, ce seul fait incontestable répond à toutes les difficultés: de l'existant au possible la conséquence me paraît bonne.

laws, but of the legislative power. Yesterday's law is not binding to-day; but silence is taken for tacit consent, and the Sovereign is held to confirm incessantly the laws it does not abrogate as it might. All that it has once declared itself to will it wills always, unless it revokes its declaration.

Why then is so much respect paid to old laws? For this very reason. We must believe that nothing but the excellence of old acts of will can have preserved them so long: if the Sovereign had not recognised them as throughout salutary, it would have revoked them a thousand times. This is why, so far from growing weak, the laws continually gain new strength in any well constituted State; the precedent of antiquity makes them daily more venerable: while wherever the laws grow weak as they become old, this proves that there is no longer a legislative power, and that the State is dead.

Chapter 3.12 How Sovereign Authority Maintains It Self

The Sovereign, having no force other than the legislative power, acts only by means of the laws; and the laws being solely the authentic acts of the general will, the Sovereign cannot act save when the people is assembled. The people in assembly, I shall be told, is a mere chimera. It is so to-day, but two thousand years ago it was not so. Has man's nature changed?

The bounds of possibility, in moral matters, are less narrow than we imagine: it is our weaknesses, our vices and our prejudices that confine them. Base souls have no belief in great men; vile slaves smile in mockery at the name of liberty.

Let us judge of what can be done by what has been done. I shall say nothing of the Republics of ancient Greece; but the Roman Republic was, to my mind, a great State, and the town of Rome a great town. The last census showed that there were in Rome four hundred thousand citizens capable of bearing arms, and the last computation of the population of the Empire showed over four million citizens, excluding subjects, foreigners, women, children and slaves.

What difficulties might not be supposed to stand in the way of the frequent assemblage of the vast population of this capital and its neighbourhood. Yet few weeks passed without the Roman people being in assembly, and even being so several times. It exercised not only the rights of Sovereignty, but also a part of those of government. It dealt with certain matters, and judged certain cases, and this whole people was found in the public meeting-place hardly less often as magistrates than as citizens.

If we went back to the earliest history of nations, we should find that most ancient governments, even those of monarchical form, such as the Macedonian and the Frankish, had similar councils. In any case, the one incontestable fact I have given is an answer to all difficulties; it is good logic to reason from the actual to the possible.

Il ne suffit pas que le peuple assemblé ait une fois fixé la constitution de l'État en donnant la sanction à un corps de lois'. il ne suffit pas qu'il ait établi un gouvernement perpétuel, ou qu'il ait pourvu une fois pour toutes à l'élection des magistrats; outre les assemblées extraordinaires que des cas imprévus peuvent exiger, il faut qu'il y en ait de fixes et de périodiques que rien ne puisse abolir ni proroger, tellement qu'au jour marqué le peuple soit légitimement convoqué par la loi, sans qu'il soit besoin pour cela d'aucune autre convocation formelle.

Mais, hors de ces assemblées juridiques par leur seule date, toute assemblée du peuple qui n'aura pas été convoquée par les magistrats préposés à cet effet, et selon les formes prescrites, doit être tenue pour illégitime, et tout ce qui s'y fait pour nul, parce que l'ordre même de s'assembler doit émaner de la loi.

Quant aux retours plus ou moins fréquents des assemblées légitimes, ils dépendent de tant de considérations qu'on ne saurait donner là-dessus de règles précises. Seulement, on peut dire en général que plus le gouvernement a de force, plus le souverain doit se montrer fréquemment.

Ceci, me dira-t-on, peut-être bon pour une seule ville; mais que faire quand l'État en comprend plusieurs? Partagera-t-on l'autorité souveraine? au bien doit-on la concentrer dans une seule ville et assujettir tout le reste?

Je réponds qu'on ne doit faire ni l'un ni l'autre. Premièrement, l'autorité souveraine est simple et une, et l'on ne peut la diviser sans la détruire, En second lieu, une ville, non plus qu'une nation., ne peut être légitimement sujette d'une autre, parce que l'essence du corps politique est dans l'accord de l'obéissance et de la liberté, et que ces mots de sujet et de souverain sont des corrélations identiques dont l'idée se réunit sous le seul mot de citoyen.

Je réponds encore que c'est toujours un mal d'unir plusieurs villes en une seule cité et que, voulant faire cette union, l'on ne doit pas se flatter d'en éviter les inconvénients naturels. Il ne faut point objecter l'abus des grands États à celui qui n'en veut que de petits. Mais comment donner aux petits États assez de force pour résister aux grands? comme jadis les villes grecques résistèrent au grand roi, et comme plus récemment la Hollande et la Suisse ont résisté à la maison d'Autriche. Toutefois, si l'on ne peut réduire l'État à de justes bornes, il reste encore une ressource; c'est de n'y point souffrir de capitale, de faire siéger le gouvernement alternativement dans chaque ville, et d'y rassembler aussi tour à tour les états du pays.

Peuplez également le territoire, étendez-y partout les mêmes droits, portez-y partout l'abondance et la vie; c'est ainsi que l'État deviendra tout à la fois le plus fort et le mieux gouverné qu'il soit possible. Souvenez-vous que les murs des villes ne se forment que du débris des maisons des champs. À chaque palais que je vois

It is not enough for the assembled people to have once fixed the constitution of the State by giving its sanction to a body of law; it is not enough for it to have set up a perpetual government, or provided once for all for the election of magistrates. Besides the extraordinary assemblies unforeseen circumstances may demand, there must be fixed periodical assemblies which cannot be abrogated or prorogued, so that on the proper day the people is legitimately called together by law, without need of any formal summoning.

But, apart from these assemblies authorised by their date alone, every assembly of the people not summoned by the magistrates appointed for that purpose, and in accordance with the prescribed forms, should be regarded as unlawful, and all its acts as null and void, because the command to assemble should itself proceed from the law.

The greater or less frequency with which lawful assemblies should occur depends on so many considerations that no exact rules about them can be given. It can only be said generally that the stronger the government the more often should the Sovereign show itself. This, I shall be told, may do for a single town; but what is to be done when the State includes several? Is the sovereign authority to be divided? Or is it to be concentrated in a single town to which all the rest are made subject? Neither the one nor the other, I reply. First, the sovereign authority is one and simple, and cannot be divided without being destroyed. In the second place, one town cannot, any more than one nation, legitimately be made subject to another, because the essence of the body politic lies in the reconciliation of obedience and liberty, and the words subject and Sovereign are identical correlatives the idea of which meets in the single word "citizen."

I answer further that the union of several towns in a single city is always bad, and that, if we wish to make such a union, we should not expect to avoid its natural disadvantages. It is useless to bring up abuses that belong to great States against one who desires to see only small ones; but how can small States be given the strength to resist great ones, as formerly the Greek towns resisted the Great King, and more recently Holland and Switzerland have resisted the House of Austria? Nevertheless, if the State cannot be reduced to the right limits, there remains still one resource; this is, to allow no capital, to make the seat of government move from town to town, and to assemble by turn in each the Provincial Estates of the country.

People the territory evenly, extend everywhere the same rights, bear to every place in it abundance and life: by these means will the State become at once as strong and as well governed as possible. Remember that the walls of towns are built of the ruins of the houses of the countryside. For every palace I see raised in the capital,

élever dans la capitale, je crois voir mettre en masures tout un pays.

Chapitre 3.14 Suite

A l'instant que le peuple est légitimement assemblé en corps souverain, toute juridiction du gouvernement cesse, la puissance exécutive est suspendue, et la personne du dernier citoyen est aussi sacrée et inviolable que celle du premier magistrat, parce qu'où se trouve le représenté il n'y a plus de représentants. La plupart des tumultes qui s'élevèrent à Rome dans les comices vinrent d'avoir ignoré ou négligé cette règle. Les consuls alors n'étaient que les présidents du peuple; les tribuns de simples orateurs[28]: le sénat n'était rien du tout.

Ces intervalles de suspension où le prince reconnaît ou doit reconnaître un supérieur actuel, lui ont toujours été redoutables; et ces assemblées du peuple, qui sont l'égide du corps politique et le frein du gouvernement, ont été de tout temps l'horreur des chefs: aussi n'épargnent-ils jamais ni soins, ni objections, mi difficultés, ni promesses, pour en rebuter les citoyens. Quand ceux-ci sont avares, tâches, pusillanimes, plus amoureux du repos que de la liberté, ils ne tiennent pas longtemps contre les efforts redoublés du gouvernement: c'est ainsi que, la force résistante augmentant sans cesse, l'autorité souveraine s'évanouit à la fin, et que la plupart des cités tombent et périssent avant le temps.

Mais entre l'autorité souveraine et le gouvernement arbitraire, il s'introduit quelquefois un pouvoir moyen dont il faut parler.

Chapitre 3.15 Des députés ou représentants

Sitôt que le service public cesse d'être la principale affaire des citoyens, et qu'ils aiment mieux servir de leur bourse que de leur personne, l'État est déjà près de sa ruine. Faut-il marcher au combat? ils payent des troupes et restent chez eux; faut-il aller au conseil? ils nomment des députés et restent chez eux. À force de paresse et d'argent, ils ont enfin des soldats pour asservir la patrie, et des représentants pour la vendre.

C'est le tracas du commerce et des arts, c'est l'avide intérêt du gain, c'est la mollesse et l'amour des commodités, qui changent les services personnels en argent. On cède une partie de son profit pour l'augmenter à son aise. Donnez de l'argent, et bientôt vous aurez des fers. Ce mot de finance est un mot d'esclave, il est inconnu dans la cité. Dans un pays vraiment libre, les citoyens font tout avec leurs bras, et rien avec de l'argent; loin de payer pour s'exempter de leurs devoirs, ils payeraient pour les remplir eux-mêmes.

my mind's eye sees a whole country made desolate.

---

28 A peu près selon le sens qu'on donne à ce nom dans le parlement d'Angleterre. La ressemblance de ces emplois eût mis en conflit les consuls et les tribuns, quand même toute juridiction eût été suspendue.

The moment the people is legitimately assembled as a sovereign body, the jurisdiction of the government wholly lapses, the executive power is suspended, and the person of the meanest citizen is as sacred and inviolable as that of the first magistrate; for in the presence of the person represented, representatives no longer exist. Most of the tumults that arose in the comitia at Rome were due to ignorance or neglect of this rule. The consuls were in them merely the presidents of the people; the tribunes were mere speakers[28]; the senate was nothing at all.

These intervals of suspension, during which the prince recognises or ought to recognise an actual superior, have always been viewed by him with alarm; and these assemblies of the people, which are the aegis of the body politic and the curb on the government, have at all times been the horror of rulers: who therefore never spare pains, objections, difficulties, and promises, to stop the citizens from having them. When the citizens are greedy, cowardly, and pusillanimous, and love ease more than liberty, they do not long hold out against the redoubled efforts of the government; and thus, as the resisting force incessantly grows, the sovereign authority ends by disappearing, and most cities fall and perish before their time. But between the sovereign authority and arbitrary government there sometimes intervenes a mean power of which something must be said.

Chapter 3.15 Deputies or Representatives

As soon as public service ceases to be the chief business of the citizens, and they would rather serve with their money than with their persons, the State is not far from its fall. When it is necessary to march out to war, they pay troops and stay at home: when it is necessary to meet in council, they name deputies and stay at home. By reason of idleness and money, they end by having soldiers to enslave their country and representatives to sell it.

It is through the hustle of commerce and the arts, through the greedy self-interest of profit, and through softness and love of amenities that personal services are replaced by money payments. Men surrender a part of their profits in order to have time to increase them at leisure. Make gifts of money, and you will not be long without chains. The word finance is a slavish word, unknown in the city-state. In a country that is truly free, the citizens do everything with their own arms and nothing by means of money; so far from paying to be exempted from their duties, they would even pay for the privilege of fulfilling them themselves. I am far from

---

28 In nearly the same sense as this word has in the English Parliament. The similarity of these functions would have brought the consuls and the tribunes into conflict, even had all jurisdiction been suspended.

Je suis bien loin des idées communes; je crois les corvées moins contraires à la liberté que les taxes.

Mieux l'État est constitué, plus les affaires publiques l'emportent sur les privées, dans l'esprit des citoyens. Il y a même beaucoup moins d'affaires privées, parce que la somme du bonheur commun fournissant une portion plus considérable à celui de chaque individu, il lui en reste moins à chercher dans les soins particuliers. Dans une cité bien conduite, chacun vole aux assemblées; sous un mauvais gouvernement, nul n'aime à faire un pas pour s'y rendre, parce que nul ne prend intérêt à ce qui s'y fait, qu'on prévoit que la volonté générale n'y dominera pas, et qu'enfin les soins domestiques absorbent tout. Les bonnes lois en font faire de meilleures, les mauvaises en amènent de pires. Sitôt que quelqu'un dit des affaires de l'État: Que m'importe? on doit compter que l'État est perdu.

L'attiédissement de l'amour de la patrie, l'activité de l'intérêt privé, l'immensité des États, les conquêtes, l'abus du gouvernement, ont fait imaginer la voie des députés ou représentants du peuple dans les assemblées de la nation. C'est ce qu'en certain pays on ose appeler le tiers état. Ainsi l'intérêt particulier de deux ordres est mis au premier et second rang; l'intérêt public n'est qu'au troisième.

La souveraineté ne peut être représentée, par la même raison qu'elle peut être aliénée; elle consiste essentiellement dans la volonté générale, et la volonté ne se représente point: elle est la même, ou elle est autre; il n'y a point de milieu. Les députés du peuple ne sont donc ni ne peuvent être ses représentants, ils ne sont que ses commissaires; ils ne peuvent rien conclure définitivement. Toute loi que le peuple en personne n'a pas ratifiée est nulle; ce n'est point une loi. Le peuple Anglais pense être libre, il se trompe fort; il ne l'est que durant l'élection des membres du parlement: sitôt qu'ils sont élus, il est esclave, il n'est rien. Dans les courts moments de sa liberté, l'usage qu'il en fait mérite bien qu'il la perde.

L'idée des représentants est moderne: elle nous vient du gouvernement féodal, de cet inique et absurde gouvernement dans lequel l'espèce humaine est dégradée, et où le nom d'homme est en déshonneur. Dans les anciennes républiques, et même dans les monarchies, jamais le peuple n'eut des représentants; en ne connaissait pas ce mot-là. Il est très singulier qu'à Rome, où les tribuns étaient si sacrés, on n'ait pas même imaginé qu'ils pussent usurper les fonctions du peuple, et qu'au milieu d'une si grande multitude ils n'aient jamais tenté de passer de leur chef un seul plébiscite. Qu'on juge cependant de l'embarras que causait quelquefois la foule par ce qui arriva du temps des Gracques, où une partie des citoyens donnait son suffrage de dessus les toits.

Où le droit et la liberté sont toutes choses, les inconvénients ne sont rien. Chez ce sage peuple tout était mis à sa juste mesure: il laissait faire à ses licteurs ce que ses

taking the common view: I hold enforced labour to be less opposed to liberty than taxes.

The better the constitution of a State is, the more do public affairs encroach on private in the minds of the citizens. Private affairs are even of much less importance, because the aggregate of the common happiness furnishes a greater proportion of that of each individual, so that there is less for him to seek in particular cares. In a well-ordered city every man flies to the assemblies: under a bad government no one cares to stir a step to get to them, because no one is interested in what happens there, because it is foreseen that the general will will not prevail, and lastly because domestic cares are all-absorbing. Good laws lead to the making of better ones; bad ones bring about worse. As soon as any man says of the affairs of the State What does it matter to me? the State may be given up for lost.

The lukewarmness of patriotism, the activity of private interest, the vastness of States, conquest and the abuse of government suggested the method of having deputies or representatives of the people in the national assemblies. These are what, in some countries, men have presumed to call the Third Estate. Thus the individual interest of two orders is put first and second; the public interest occupies only the third place.

Sovereignty, for the same reason as makes it inalienable, cannot be represented; it lies essentially in the general will, and will does not admit of representation: it is either the same, or other; there is no intermediate possibility. The deputies of the people, therefore, are not and cannot be its representatives: they are merely its stewards, and can carry through no definitive acts. Every law the people has not ratified in person is null and void — is, in fact, not a law. The people of England regards itself as free; but it is grossly mistaken; it is free only during the election of members of parliament. As soon as they are elected, slavery overtakes it, and it is nothing. The use it makes of the short moments of liberty it enjoys shows indeed that it deserves to lose them.

The idea of representation is modern; it comes to us from feudal government, from that iniquitous and absurd system which degrades humanity and dishonours the name of man. In ancient republics and even in monarchies, the people never had representatives; the word itself was unknown. It is very singular that in Rome, where the tribunes were so sacrosanct, it was never even imagined that they could usurp the functions of the people, and that in the midst of so great a multitude they never attempted to pass on their own authority a single plebiscitum. We can, however, form an idea of the difficulties caused sometimes by the people being so numerous, from what happened in the time of the Gracchi, when some of the citizens had to cast their votes from the roofs of buildings.

Where right and liberty are everything, disadvantages count for nothing. Among this wise people everything was given its just value, its lictors were allowed to do

tribuns n'eussent osé faire; il ne craignait pas que ses licteurs voulussent le représenter. Pour expliquer cependant comment les tribuns le représentaient quelquefois, il suffit de concevoir comment le gouvernement représente le souverain. La loi n'étant que la déclaration de la volonté générale, il est clair que, dans la puissance législative, le peuple ne peut être représenté; mais il peut et doit l'être dans la puissance exécutive, qui n'est que la force appliquée à la loi. Ceci fait voir qu'en examinant bien les choses on trouverait que très peu de nations ont des lois. Quoi qu'il en soit, il est sûr que les tribuns, n'ayant aucune partie du pouvoir exécutif, ne purent jamais représenter le peuple romain par les droits de leurs charges, mais seulement en usurpant sur ceux du sénat.

Chez les Grecs, tout ce que le peuple avait à faire, il le faisait par lui-même: il était sans cesse assemblé sur la place. Il habitait un climat doux; il n'était point avide; des esclaves faisaient ses travaux; sa grande affaire était sa liberté. N'ayant plus les mêmes avantages, comment conserver les mêmes droits? Vos climats plus durs vous donnent plus de besoins[29]: six mois de l'année la place publique n'est pas tenable; vos langues sourdes ne peuvent se faire entendre en plein air; vous donnez plus à votre gain qu'à votre liberté, et vous craignez bien moins l'esclavage que la misère. - Quoi! la liberté ne se maintient qu'à l'appui de la servitude? Peut-être. Les deux excès se touchent. Tout ce qui n'est point dans la nature a ses inconvénients, et la société civile plus que tout le reste. Il y a telles positions malheureuses où l'on ne peut conserver sa liberté qu'aux dépens de celle d'autrui, et où le citoyen ne peut être parfaitement libre que l'esclave ne soit extrêmement esclave. Telle était la position de Sparte. Pour vous, peuples modernes, vous n'avez point d'esclaves, mais vous l'êtes; vous payez leur liberté de la vôtre. Vous avez beau vanter cette préférence, j'y trouve plus de lâcheté que d'humanité.

Je n'entends point par tout cela qu'il faille avoir des esclaves, ni que le droit d'esclavage soit légitime, puisque j'ai prouvé le contraire: je dis seulement les raisons pourquoi les peuples modernes qui se croient libres ont des représentants, et pourquoi les peuples anciens n'en avaient pas. Quoi qu'il en soit, à l'instant qu'un peuple se donne des représentants, il n'est plus libre; il n'est plus.

Tout bien examiné, je ne vois pas qu'il soit désormais possible au souverain de conserver parmi nous l'exercice de ses droits, si la cité n'est très petite. Mais si elle est très petite, elle sera subjuguée? Non. Je ferai voir ci-après[30] comment on peut réunir la puissance extérieure d'un grand peuple avec la police aisée et le bon ordre d'un petit État.

---

29 Adopter dans les pays froids le luxe et la mollesse des Orientaux, c'est vouloir se donner leurs chaînes; c'est s'y soumettre encore plus nécessairement qu'eux.

30 C'est ce que je m'étais proposé de faire dans la suite de cet ouvrage, lorsqu'en traitant des relations externes j'en serais venu aux confédérations. Matière toute neuve et où les principes sont encore à établir.

what its tribunes would never have dared to attempt; for it had no fear that its lictors would try to represent it.

To explain, however, in what way the tribunes did sometimes represent it, it is enough to conceive how the government represents the Sovereign. Law being purely the declaration of the general will, it is clear that, in the exercise of the legislative power, the people cannot be represented; but in that of the executive power, which is only the force that is applied to give the law effect, it both can and should be represented. We thus see that if we looked closely into the matter we should find that very few nations have any laws. However that may be, it is certain that the tribunes, possessing no executive power, could never represent the Roman people by right of the powers entrusted to them, but only by usurping those of the senate.

In Greece, all that the people had to do, it did for itself; it was constantly assembled in the public square. The Greeks lived in a mild climate; they had no natural greed; slaves did their work for them; their great concern was with liberty. Lacking the same advantages, how can you preserve the same rights? Your severer climates add to your needs[29]; for half the year your public squares are uninhabitable; the flatness of your languages unfits them for being heard in the open air; you sacrifice more for profit than for liberty, and fear slavery less than poverty.

What then? Is liberty maintained only by the help of slavery? It may be so. Extremes meet. Everything that is not in the course of nature has its disadvantages, civil society most of all. There are some unhappy circumstances in which we can only keep our liberty at others' expense, and where the citizen can be perfectly free only when the slave is most a slave. Such was the case with Sparta. As for you, modern peoples, you have no slaves, but you are slaves yourselves; you pay for their liberty with your own. It is in vain that you boast of this preference; I find in it more cowardice than humanity.

I do not mean by all this that it is necessary to have slaves, or that the right of slavery is legitimate: I am merely giving the reasons why modern peoples, believing themselves to be free, have representatives, while ancient peoples had none. In any case, the moment a people allows itself to be represented, it is no long free: it no longer exists.

All things considered, I do not see that it is possible henceforth for the Sovereign to preserve among us the exercise of its rights, unless the city is very small. But if it is very small, it will be conquered? No. I will show later on how the external strength of a great people[30] may be combined with the convenient polity and good order of a small State.

---

29 To adopt in cold countries the luxury and effeminacy of the East is to desire to submit to its chains; it is indeed to bow to them far more inevitably in our case than in theirs.

30 I had intended to do this in the sequel to this work, when in dealing with external relations I came to the subject of confederations. The subject is quite new, and its principles have still to be laid down.

Chapitre 3.16 *Que l'institution du gouvernement n'est point un contrat*

Le pouvoir législatif une fois bien établi il s'agit d'établir de même le pouvoir exécutif; car ce dernier, qui n'opère que par des actes particuliers, n'étant pas de l'essence de l'autre, en est naturellement séparé. S'il était possible que le souverain, considéré comme tel, eût la puissance exécutive, le droit et le fait seraient tellement confondus, qu'on ne saurait plus ce qui est loi et ce qui ne l'est pas; et le corps politique, ainsi dénaturé, serait bientôt en proie à la violence contre laquelle il fut institué.

Les citoyens étant tous égaux par le contrat social, ce que tous doivent faire, tous peuvent le prescrire, au lieu que nul n'a droit d'exiger qu'un autre fasse ce qu'il ne fait pas lui-même. Or, c'est proprement ce droit, indispensable pour faire vivre et mouvoir le corps politique, que le souverain donne au prince en instituant le gouvernement.

Plusieurs ont prétendu que l'acte de cet établissement était un contrat entre le peuple et les chefs qu'il se donne, contrat par lequel on stipulait entre les deux parties des conditions sous lesquelles l'une s'obligeait à commander et l'autre à obéir. On conviendra, je m'assure, que voilà une étrange manière de contracter. Mais voyons si cette opinion est soutenable.

Premièrement, l'autorité suprême ne peut pas plus se modifier que s'aliéner; la limiter, c'est la détruire. Il est absurde et contradictoire que le souverain se donne un supérieur; s'obliger d'obéir à un maître, c'est se remettre en pleine liberté.

De plus, il est évident que ce contrat du peuple avec telles ou telles personnes serait un acte particulier; d'où il suit que ce contrat ne saurait être une loi ni un acte de souveraineté, et que par conséquent il serait illégitime.

On voit encore que les parties contractantes seraient entre elles sous la seule loi de nature et sans aucun garant de leurs engagements réciproques, ce qui répugne de toutes manières à l'état civil: celui qui a la force en main étant toujours le maître de l'exécution, autant vaudrait donner le nom de contrat à l'acte d'un homme qui dirait à un autre: "Je vous donne tout mon bien, à condition que vous m'en rendrez ce qu'il vous plaira."

Il n'y a qu'un contrat dans l'État, c'est celui de l'association: celui-là seul en exclut tout autre. On ne saurait imaginer aucun contrat public qui ne fût une violation du premier.

Chapitre 3.17 *De l'institution du gouvernement*

Sous quelle idée faut-il donc concevoir l'acte par lequel le gouvernement est institué? Je remarquerai d'abord que cet acte est complexe, ou composé de deux

Chapter 3.16 That the Institution of Government Is Not a Contract

The legislative power once well established, the next thing is to establish similarly the executive power; for this latter, which operates only by particular acts, not being of the essence of the former, is naturally separate from it. Were it possible for the Sovereign, as such, to possess the executive power, right and fact would be so confounded that no one could tell what was law and what was not; and the body politic, thus disfigured, would soon fall a prey to the violence it was instituted to prevent.

As the citizens, by the social contract, are all equal, all can prescribe what all should do, but no one has a right to demand that another shall do what he does not do himself. It is strictly this right, which is indispensable for giving the body politic life and movement, that the Sovereign, in instituting the government, confers upon the prince.

It has been held that this act of establishment was a contract between the people and the rulers it sets over itself, — a contract in which conditions were laid down between the two parties binding the one to command and the other to obey. It will be admitted, I am sure, that this is an odd kind of contract to enter into. But let us see if this view can be upheld.

First, the supreme authority can no more be modified than it can be alienated; to limit it is to destroy it. It is absurd and contradictory for the Sovereign to set a superior over itself; to bind itself to obey a master would be to return to absolute liberty.

Moreover, it is clear that this contract between the people and such and such persons would be a particular act; and from this it follows that it can be neither a law nor an act of Sovereignty, and that consequently it would be illegitimate.

It is plain too that the contracting parties in relation to each other would be under the law of nature alone and wholly without guarantees of their mutual undertakings, a position wholly at variance with the civil state. He who has force at his command being always in

a position to control execution, it would come to the same thing if the name "contract" were given to the act of one man who said to another: "I give you all my goods, on condition that you give me back as much of them as you please."

There is only one contract in the State, and that is the act of association, which in itself excludes the existence of a second. It is impossible to conceive of any public contract that would not be a violation of the first.

Chapter 3.17 The Institution of Government

Under what general idea then should the act by which government is instituted be conceived as falling? I will begin by stating that the act is complex, as being

autres, savoir: l'établissement de la loi et l'exécution de la loi.

Par le premier, le souverain statue qu'il y aura un corps de gouvernement établi sous telle ou telle forme; et il est clair que cet acte est une loi.

Par le second, le peuple nomme les chefs qui seront chargés du gouvernement établi. Or cette nomination, étant un acte particulier, n'est pas une seconde loi, mais seulement une suite de la première et une fonction du gouvernement.

La difficulté est d'entendre comment on peut avoir un acte de gouvernement avant que le gouvernement existe, et comment le peuple, qui n'est que souverain ou sujet, peut devenir prince ou magistrat dans certaines circonstances.

C'est encore ici que se découvre une de ces étonnantes propriétés du corps politique, par lesquelles il concilie des opérations contradictoires en apparence; car celle-ci se fait par une conversion subite de la souveraineté en démocratie, en sorte que, sans aucun changement sensible, et seulement par une nouvelle relation de tous à tous, les citoyens, devenus magistrats, passent des actes généraux aux actes particuliers, et de la loi à l'exécution.

Ce changement de relation n'est point une subtilité de spéculation sans exemple dans la pratique: il a lieu tous les jours dans le parlement d'Angleterre, où la chambre basse, en certaines occasions, se tourne en grand comité, pour mieux discuter les affaires, et devient ainsi simple commission, de cour souveraine qu'elle était l'instant précédent; en telle sorte qu'elle se fait ensuite rapport à elle-même, comme chambre des communes, de ce qu'elle vient de régler en grand comité, et délibère de nouveau sous un titre de ce qu'elle a déjà résolu sous un autre.

Tel est l'avantage propre au gouvernement démocratique, de pouvoir être établi dans le fait par un simple acte de la volonté générale. Après quoi ce gouvernement provisionnel reste en possession, si telle est la forme adoptée, ou établit au nom du souverain le gouvernement prescrit par la loi; et tout se trouve ainsi dans la règle. Il n'est pas possible d'instituer le gouvernement d'aucune autre manière légitime et sans renoncer aux principes ci-devant établis.

Chapitre 3.18 Moyens de prévenir les usurpations du gouvernement

De ces éclaircissements il résulte, en confirmation du chapitre XVI, que l'acte qui institue le gouvernement n'est point un contrat, mais une loi; que les dépositaires de la puissance exécutive ne sont point les maîtres du peuple, mais ses officiers; qu'il peut les établir et les destituer quand il lui plaît; qu'il n'est point question pour eux de contracter, mais d'obéir; et qu'en se chargeant des fonctions que l'État leur impose, ils ne font que remplir leur devoir de citoyens sans avoir en aucune sorte le droit de disputer sur les conditions.

Quand donc il arrive que le peuple institue un gouvernement héréditaire, soit monarchique dans une famille, soit aristocratique dans un ordre de citoyens, ce n'est point un engagement qu'il prend: c'est une forme provisionnelle qu'il donne à

composed of two others — the establishment of the law and its execution. By the former, the Sovereign decrees that there shall be a governing body established in this or that form; this act is clearly a law.

By the latter, the people nominates the rulers who are to be entrusted with the government that has been established. This nomination, being a particular act, is clearly not a second law, but merely a consequence of the first and a function of government. The difficulty is to understand how there can be a governmental act before government exists, and how the people, which is only Sovereign or subject, can, under certain circumstances, become a prince or magistrate.

It is at this point that there is revealed one of the astonishing properties of the body politic, by means of which it reconciles apparently contradictory operations; for this is accomplished by a sudden conversion of Sovereignty into democracy, so that, without sensible change, and merely by virtue of a new relation of all to all, the citizens become magistrates and pass from general to particular acts, from legislation to the execution of the law.

This changed relation is no speculative subtlety without instances in practice: it happens every day in the English Parliament, where, on certain occasions, the Lower House resolves itself into Grand Committee, for the better discussion of affairs, and thus, from being at one moment a sovereign court, becomes at the next a mere commission; so that subsequently it reports to itself, as House of Commons, the result of its proceedings in Grand Committee, and debates over again under one name what it has already settled under another.

It is, indeed, the peculiar advantage of democratic government that it can be established in actuality by a simple act of the general will. Subsequently, this provisional government remains in power, if this form is adopted, or else establishes in the name of the Sovereign the government that is prescribed by law; and thus the whole proceeding is regular. It is impossible to set up government in any other manner legitimately and in accordance with the principles so far laid down.

Chapter 3.18 How to Check the Usurpations of Government

What we have just said confirms Chapter 16, and makes it clear that the institution of government is not a contract, but a law; that the depositaries of the executive power are not the people's masters, but its officers; that it can set them up and pull them down when it likes; that for them there is no question of contract, but of obedience and that in taking charge of the functions the State imposes on them they are doing no more than fulfilling their duty as citizens, without having the remotest right to argue about the conditions.

When therefore the people sets up an hereditary government, whether it be monarchical and confined to one family, or aristocratic and confined to a class,

l'administration, jusqu'à ce qu'il lui plaise d'en ordonner autrement.

Il est vrai que ces changements sont toujours dangereux, et qu'il ne faut jamais toucher au gouvernement établi que lorsqu'il devient incompatible avec le bien public: mais cette circonspection est une maxime de politique, et non pas une règle de droit; et l'État n'est pas plus tenu de laisser l'autorité civile à ses chefs, que l'autorité militaire à ses généraux.

Il est vrai encore qu'on ne saurait, en pareil cas, observer avec trop de soin toutes les formalités requises pour distinguer un acte régulier et légitime d'un tumulte séditieux, et la volonté de tout un peuple des clameurs d'une faction. C'est ici surtout qu'il ne faut donner au cas odieux que ce qu'on ne peut lui refuser dans toute la rigueur du droit; et c'est aussi de cette obligation que le prince tire un grand avantage pour conserver sa puissance malgré le peuple, sans qu'on puisse dire qu'il l'ait usurpée; car, en paraissant n'user que de us droits, il lui est fort aisé de les étendre, et d'empêcher, sous le prétexte du repos publie, les assemblées destinées à rétablir le bon ordre; de sorte qu'il se prévaut d'un silence qu'il empêche de rompre, ou des irrégularités qu'il fait commettre, pour supposer en sa faveur l'aveu de ceux que la crainte fait taire et pour punir ceux qui osent parler. C'est ainsi que les décemvirs, ayant d'abord été élus pour un an, puis continués pour une autre année, tentèrent de retenir à perpétuité leur pouvoir, en ne permettant plus aux comices de s'assembler; et c'est par ce facile moyen que tous les gouvernements du monde, une fois revêtus de la force publique, usurpent tôt ou tard l'autorité souveraine.

Les assemblées périodiques, dont j'ai parlé ci-devant, sont propres à prévenir ou différer ce malheur, surtout quand elles n'ont pas besoin de convocation formelle; car alors le prince ne saurait les empêcher sans se déclarer ouvertement infracteur des lois et ennemi de l'État.

L'ouverture de ces assemblées, qui n'ont pour objet que le maintien du traité social, doit toujours se faire par deux propositions qu'on ne puisse jamais supprimer, et qui passent séparément par les suffrages.

La première: "S'il plaît au souverain de conserver la présente forme de gouvernement."

La seconde: "S'il plaît au peuple d'en laisser l'administration à ceux qui en sont actuellement chargés."

Je suppose ici ce que je crois avoir démontré, savoir, qu'il n'y a dans l'État aucune loi fondamentale qui ne se puisse révoquer, non pas même le pacte social; car si tous les citoyens s'assemblaient pour rompre ce pacte d'un commun accord, on ne peut douter qu'il ne fût très légitimement rompu. Grotius pense même que chacun peut renoncer à l'État dont il est membre, et reprendre sa liberté naturelle et ses biens en sortant du pays[31]. Or il serait absurde que tous les citoyens réunis ne pussent pas ce que peut séparément chacun d'eux.

---

31 Bien entendu qu'on ne quitte pas pour éluder son devoir et se dispenser de servir la patrie au moment qu'elle a besoin de nous. La fuite alors serait criminelle et punissable; ce ne serait plus retraite, mais désertion.

what it enters into is not an undertaking; the administration is given a provisional form, until the people chooses to order it otherwise.

It is true that such changes are always dangerous, and that the established government should never be touched except when it comes to be incompatible with the public good; but the circumspection this involves is a maxim of policy and not a rule of right, and the State is no more bound to leave civil authority in the hands of its rulers than military authority in the hands of its generals. It is also true that it is impossible to be too careful to observe, in such cases, all the formalities necessary to distinguish a regular and legitimate act from a seditious tumult, and the will of a whole people from the clamour of a faction. Here above all no further concession should be made to the untoward possibility that cannot, in the strictest logic, be refused it. From this obligation the prince derives a great advantage in preserving his power despite the people, without it being possible to say he has usurped it; for, seeming to avail himself only of his rights, he finds it very easy to extend them, and to prevent, under the pretext of keeping the peace, assemblies that are destined to the re-establishment of order; with the result that he takes advantage of a silence he does not allow to be broken, or of irregularities he causes to be committed, to assume that he has the support of those whom fear prevents from speaking, and to punish those who dare to speak. Thus it was that the decemvirs, first elected for one year and then kept on in office for a second, tried to perpetuate their power by forbidding the comitia to assemble; and by this easy method every government in the world, once clothed with the public power, sooner or later usurps the sovereign authority.

The periodical assemblies of which I have already spoken are designed to prevent or postpone this calamity, above all when they need no formal summoning; for in that case, the prince cannot stop them without openly declaring himself a law-breaker and an enemy of the State.

The opening of these assemblies, whose sole object is the maintenance of the social treaty, should always take the form of putting two propositions that may not be suppressed, which should be voted on separately.

The first is: "Does it please the Sovereign to preserve the present form of government?"

The second is: "Does it please the people to leave its administration in the hands of those who are actually in charge of it?" I am here assuming what I think I have shown; that there is in the State no fundamental law that cannot be revoked, not excluding the social compact itself; for if all the citizens assembled of one accord to break the compact, it is impossible to doubt that it would be very legitimately broken. Grotius even thinks that each man can renounce his membership of his own State, and recover his natural liberty and his goods on leaving the country[31]. It would be indeed absurd if all the citizens in assembly could not do what each can do by himself.

---

31 Provided, of course, he does not leave to escape his obligations and avoid having to serve his country in the hour of need. Flight in such a case would be criminal and punishable, and would be, not withdrawal, but desertion.

Livre IV

Chapitre 4.1 Que la volonté générale est indestructible

Tant que plusieurs hommes réunis se considèrent comme un seul corps, ils n'ont qu'une seule volonté qui se rapporte à la commune conservation et au bien-être général. Alors tous les ressorts de l'État sont vigoureux et simples, ses maximes sont claires et lumineuses il n'a point d'intérêts embrouillés, contradictoires le bien commun se montre partout avec évidence, et ne demande que du bon sens pour être aperçu. La paix, l'union, l'égalité, sont ennemies des subtilités politiques. Les hommes droits et simples sont difficiles à tromper à cause de leur simplicité: les leurres, les prétextes raffinés ne leur en imposent point, ils ne sont pas même assez fins pour être dupes. Quand on voit chez le plus heureux peuple du monde des troupes de paysans régler les affaires de l'État sous un chêne et se conduire toujours sagement, peut-on s'empêcher de mépriser les raffinements des autres nations, qui se rendent illustres et misérables avec tant d'art et de mystère?

Un État ainsi gouverné a besoin de très peu de lois et, à mesure qu'il devient nécessaire d'en promulguer de nouvelles, cette nécessité se voit universellement. Le premier qui les propose ne fait que dire ce que tous ont déjà senti, et il n'est question ni de brigues ni d'éloquence pour faire passer en loi ce que chacun a déjà résolu de faire, sitôt qu'il sera sûr que les autres le feront comme lui.

Ce qui trompe les raisonneurs, c'est que, ne voyant que des États mal constitués dès leur origine, ils sont frappés de l'impossibilité d'y maintenir une semblable police; ils rient d'imaginer toutes les sottises qu'un fourbe adroit, un parleur insinuant pourrait persuader au peuple de Paris ou de Londres. Ils ne savent pas que Cromwell eût été nus aux son. nettes par le peuple de Berne, et le duc de Beaufort à la discipline par les Genevois.

Mais quand le nœud social commence à se relâcher et l'État à s'affaiblir, quand les intérêts particuliers commencent à se faire sentir et les petites sociétés à influer sur la grande, l'intérêt commun s'altère et trouve des opposants: l'unanimité ne règne plus dans les voix; la volonté générale n'est plus la volonté de tous; il s'élève des contradictions, des débats; et le meilleur avis ne passe point sans disputes.

Enfin, quand l'État, près de sa ruine, ne subsiste plus que par une forme illusoire et vaine, que le lien social est rompu dans tous les cœurs, que le plus vil intérêt se pare effrontément du nom sacré du bien public, alors la volonté générale devient muette; tous, guidés par des motifs secrets, n'opinent pas plus comme citoyens que si l'État n'eût jamais existé; et l'on fait passer faussement sous le nom de lois des décrets iniques qui n'ont pour but que l'intérêt particulier.

S'ensuit-il de là que la volonté générale soit anéantie ou corrompue? Non: elle est toujours constante, inaltérable et pure; mais elle est subordonnée à d'autres qui

Book IV

Chapter 4.1 That the General Will Is Indestructible

As long as several men in assembly regard themselves as a single body, they have only a single will which is concerned with their common preservation and general well-being. In this case, all the springs of the State are vigorous and simple and its rules clear and luminous; there are no embroilments or conflicts of interests; the common good is everywhere clearly apparent, and only good sense is needed to perceive it. Peace, unity and equality are the enemies of political subtleties. Men who are upright and simple are difficult to deceive because of their simplicity; lures and ingenious pretexts fail to impose upon them, and they are not even subtle enough to be dupes. When, among the happiest people in the world, bands of peasants are seen regulating affairs of State under an oak, and always acting wisely, can we help scorning the ingenious methods of other nations, which make themselves illustrious and wretched with so much art and mystery?

A State so governed needs very few laws; and, as it becomes necessary to issue new ones, the necessity is universally seen. The first man to propose them merely says what all have already felt, and there is no question of factions or intrigues or eloquence in order to secure the passage into law of what every one has already decided to do, as soon as he is sure that the rest will act with him. Theorists are led into error because, seeing only States that have been from the beginning wrongly constituted, they are struck by the impossibility of applying such a policy to them. They make great game of all the absurdities a clever rascal or an insinuating speaker might get the people of Paris or London to believe. They do not know that Cromwell would have been put to "the bells" by the people of Berne, and the Duc de Beaufort on the treadmill by the Genevese.

But when the social bond begins to be relaxed and the State to grow weak, when particular interests begin to make themselves felt and the smaller societies to exercise an influence over the larger, the common interest changes and finds opponents: opinion is no longer unanimous; the general will ceases to be the will of all; contradictory views and debates arise; and the best advice is not taken without question.

Finally, when the State, on the eve of ruin, maintains only a vain, illusory and formal existence, when in every heart the social bond is broken, and the meanest interest brazenly lays hold of the sacred name of "public good," the general will becomes mute: all men, guided by secret motives, no more give their views as citizens than if the State had never been; and iniquitous decrees directed solely to private interest get passed under the name of laws.

Does it follow from this that the general will is exterminated or corrupted? Not at all: it is always constant, unalterable and pure; but it is subordinated to other wills

l'emportent sur elle. Chacun, détachant son intérêt de l'intérêt commun, voit bien qu'il ne peut l'en séparer tout à fait; mais sa part du mal public ne lui paraît rien auprès du bien exclusif qu'il prétend s'approprier. Ce bien particulier excepté, il veut le bien général pour son propre intérêt, tout aussi fortement qu'aucun autre. Même en vendant son suffrage à prix d'argent, il n'éteint pas en lui la volonté générale, il l'élude. La faute qu'il commet est de changer l'état de la question et de répondre autre chose que ce qu'on lui demande; en sorte qu'au lieu de dire, par un suffrage: "Il est avantageux à l'État", il dit: "Il est avantageux à tel homme ou a tel parti que tel ou tel avis passe." Ainsi la loi de l'ordre public dans les assemblées n'est pas tant d'y maintenir la volonté générale que de faire qu'elle soit toujours interrogée et qu'elle réponde toujours.

J'aurais ici bien des réflexions à faire sur le simple droit de voter dans tout acte de souveraineté, droit que rien ne peut ôter aux citoyens; et sur celui d'opiner, de proposer, de diviser, de discuter. que le gouvernement a toujours grand soin de ne laisser qu'à su membres; mais cette importante matière demanderait un traité à part, et je ne puis tout dire dans celui-ci.

Chapitre 4.2 Des suffrages

On voit, par le chapitre précédent, que la manière dont se traitent les affaires générales peut donner un indice assez sûr de l'état actuel des mœurs et de la santé du corps politique. Plus le concert règne dans les assemblées, c'est-à-dire plus les avis approchent de l'unanimité, plus aussi la volonté générale est dominante; mais les longs débats, les dissensions, le tumulte, annoncent l'ascendant des intérêts particuliers et le déclin de l'État.

Ceci paraît moins évident quand deux ou plusieurs ordres entrent dans sa constitution, comme à Rome les patriciens et les plébéiens, dont les querelles troublèrent souvent les comices, même dans les plus beaux temps de la république; mais cette exception est plus apparente que réelle; car alors, par le vice inhérent au corps politique, on a pour ainsi dire deux États en un; ce qui n'est pas vrai des deux ensemble est vrai de chacun séparément. Et en effet, dans les temps même les plus orageux, les plébiscites du peuple, quand le sénat ne s'en mêlait pas, passaient toujours tranquillement et à la grande pluralité des suffrages: les citoyens n'ayant qu'un intérêt, le peuple n'avait qu'une volonté.

A l'autre extrémité du cercle, l'unanimité revient c'est quand les citoyens, tombés dans la servitude, n'ont plus ni liberté ni volonté. Alors la crainte et la flatterie changent en acclamations les suffrages, on ne délibère plus, on adore ou l'on maudit. Telle était la vile manière d'opiner du sénat sous les empereurs. Quelquefois cela se faisait avec des précautions ridicules. Tacite observe que sous

which encroach upon its sphere. Each man, in detaching his interest from the common interest, sees clearly that he cannot entirely separate them; but his share in the public mishaps seems to him negligible beside the exclusive good he aims at making his own. Apart from this particular good, he wills the general good in his own interest, as strongly as any one else. Even in selling his vote for money, he does not extinguish in himself the general will, but only eludes it. The fault he commits is that of changing the state of the question, and answering something different from what he is asked. Instead of saying, by his vote, "It is to the advantage of the State," he says, "It is of advantage to this or that man or party that this or that view should prevail." Thus the law of public order in assemblies is not so much to maintain in them the general will as to secure that the question be always put to it, and the answer always given by it.

I could here set down many reflections on the simple right of voting in every act of Sovereignty — a right which no one can take from the citizens — and also on the right of stating views, making proposals, dividing and discussing, which the government is always most careful to leave solely to its members, but this important subject would need a treatise to itself, and it is impossible to say everything in a single work.

Chapter 4.2 Voting

It may be seen, from the last chapter, that the way in which general business is managed may give a clear enough indication of the actual state of morals and the health of the body politic. The more concert reigns in the assemblies, that is, the nearer opinion approaches unanimity, the greater is the dominance of the general will. On the other hand, long debates, dissensions and tumult proclaim the ascendancy of particular interests and the decline of the State.

This seems less clear when two or more orders enter into the constitution, as patricians and plebeians did at Rome; for quarrels between these two orders often disturbed the comitia, even in the best days of the Republic. But the exception is rather apparent than real; for then, through the defect that is inherent in the body politic, there were, so to speak, two States in one, and what is not true of the two together is true of either separately. Indeed, even in the most stormy times, the plebiscita of the people, when the Senate did not interfere with them, always went through quietly and by large majorities. The citizens having but one interest, the people had but a single will.

At the other extremity of the circle, unanimity recurs; this is the case when the citizens, having fallen into servitude, have lost both liberty and will. Fear and flattery then change votes into acclamation; deliberation ceases, and only worship or malediction is left. Such was the vile manner in which the senate expressed its views under the Emperors. It did so sometimes with absurd precautions. Tacitus

Othon les sénateurs accablant Vitellius d'exécrations, affectaient de faire en même temps un bruit épouvantable afin que, si par hasard il devenait le maître, il ne pût savoir ce que chacun d'eux avait dit.

De ces diverses considérations naissent les maximes sur lesquelles on doit régler la manière de compter les voix et de comparer les avis, selon que la volonté générale est plus ou moins facile à connaître et l'État plus ou moins déclinant.

Il n'y a qu'une seule loi qui, par sa nature, exige un consentement unanime; c'est le pacte social: car l'association civile est l'acte du monde le plus volontaire; tout homme étant né libre et maître de lui-même, nul ne peut, sous quelque prétexte que ce puisse être, l'assujettir sans son aveu. Décider que le fils d'une esclave naît esclave, c'est décider qu'il ne naît pas homme.

Si donc, lors du pacte social, il s'y trouve des opposants, leur opposition n'invalide pas le contrat, elle empêche seulement qu'ils n'y soient compris: ce sont des étrangers parmi les citoyens. Quand l'État est institué, le consentement est dans la résidence; habiter le territoire, c'est se soumettre à la souveraineté.[32]

Hors ce contrat primitif, la voix du plus grand nombre oblige toujours tous les autres; c'est une suite du contrat même. Mais on demande comment un homme peut être libre et forcé de se conformer à des volontés qui ne sont pas les siennes. Comment les opposants sont-ils libres et soumis à des lois auxquelles ils n'ont pas consenti?

Je réponds que la question est mal posée. Le citoyen consent à toutes les lois, même à celles qu'on passe malgré lui, et même à celles qui le punissent quand il ose en violer quelqu'une. La volonté constante de tous les membres de l'État est la volonté générale: c'est par elle qu'ils sont citoyens et libres.[33] Quand on propose une loi dans l'assemblée du peuple, ce qu'on leur demande n'est pas précisément s'ils approuvent la proposition ou s'ils la rejettent, mais si elle est conforme ou non à la volonté générale, qui est la leur: chacun en donnant son suffrage dit son avis là-dessus; et du calcul des voix se tire la déclaration de la volonté générale. Quand donc l'avis contraire au mien l'emporte, cela ne prouve autre chose sinon que je m'étais trompé, et que ce que j'estimais être la volonté générale ne l'était pas. Si mon avis particulier l'eût emporté, J'aurais fait autre chose que ce que j'avais voulu; c'est alors que je n'aurais pas été libre.

Ceci suppose, il est vrai, que tous les caractères de la volonté générale sont encore dans la pluralité; quand ils cessent d'y être, quelque parti qu'on prenne, il n'y a plus de liberté.

---

32 Ceci doit toujours s'entendre d'un Etat libre; car d'ailleurs la famille, les biens, le défaut d'asile, la nécessité, la violence, peuvent retenir un habitant dans le pays malgré lui, et alors son séjour seul ne suppose plus son consentement au contrat ou à la violation du contrat.

33 A Gênes on lit au-devant des prisons et sur les fers des galériens ce mot *Libertas* cette application de la devise est belle et juste. En effet il n y a que les malfaiteurs de tous états qui empêchent le citoyen d'être libre. Dans un pays où tous ces gens-là seraient aux galères, on jouirait de la plus parfaite liberté.

observes that, under Otho, the senators, while they heaped curses on Vitellius, contrived at the same time to make a deafening noise, in order that, should he ever become their master, he might not know what each of them had said.

On these various considerations depend the rules by which the methods of counting votes and comparing opinions should be regulated, according as the general will is more or less easy to discover, and the State more or less in its decline. There is but one law which, from its nature, needs unanimous consent. This is the social compact; for civil association is the most voluntary of all acts. Every man being born free and his own master, no one, under any pretext whatsoever, can make any man subject without his consent. To decide that the son of a slave is born a slave is to decide that he is not born a man.

If then there are opponents when the social compact is made, their opposition does not invalidate the contract, but merely prevents them from being included in it. They are foreigners among citizens. When the State is instituted, residence constitutes consent; to dwell within its territory is to submit to the Sovereign.[32] Apart from this primitive contract, the vote of the majority always binds all the rest. This follows from the contract itself. But it is asked how a man can be both free and forced to conform to wills that are not his own. How are the opponents at once free and subject to laws they have not agreed to?

I retort that the question is wrongly put. The citizen gives his consent to all the laws, including those which are passed in spite of his opposition, and even those which punish him when he dares to break any of them. The constant will of all the members of the State is the general will; by virtue of it they are citizens and free.[33] When in the popular assembly a law is proposed, what the people is asked is not exactly whether it approves or rejects the proposal, but whether it is in conformity with the general will, which is their will. Each man, in giving his vote, states his opinion on that point; and the general will is found by counting votes. When therefore the opinion that is contrary to my own prevails, this proves neither more nor less than that I was mistaken, and that what I thought to be the general will was not so. If my particular opinion had carried the day I should have achieved the opposite of what was my will; and it is in that case that I should not have been free.

This presupposes, indeed, that all the qualities of the general will still reside in the majority: when they cease to do so, whatever side a man may take, liberty is no longer possible.

---

32 This should of course be understood as applying to a free State; for elsewhere family, goods, lack of a refuge, necessity, or violence may detain a man in a country against his will; and then his dwelling there no longer by itself implies his consent to the contract or to its violation.

33 At Genoa, the word Liberty may be read over the front of the prisons and on the chains of the galley-slaves. This application of the device is good and just. It is indeed only malefactors of all estates who prevent the citizen from being free. In the country in which all such men were in the galleys, the most perfect liberty would be enjoyed.

En montrant ci-devant comme on substituait des volontés particulières à la volonté générale dans les délibérations publiques, j'ai suffisamment indiqué les moyens praticables de prévenir cet abus; j'en parlerai encore ci-après. À l'égard du nombre proportionnel des suffrages pour déclarer cette volonté, j'ai aussi donné les principes sur lesquels on peut le déterminer. La différence d'une seule voix rompt l'égalité; un seul opposant rompt l'unanimité: mais entre l'unanimité et l'égalité il y a plusieurs partages inégaux, à chacun desquels on peut fixer ce nombre selon l'état et les besoins du corps politique.

Deux maximes générales peuvent servir à régler ces rapports: l'une, que, plus les délibérations sont importantes et graves, plus l'avis qui l'emporte doit approcher de l'unanimité; l'autre, que, plus l'affaire agitée exige de célérité, plus on doit resserrer la différence prescrite dans le partage des avis: dans les délibérations qu'il faut terminer sur-le-champ, l'excédant d'une seule voix doit suffire. La première de ces maximes paraît plus convenable aux lois, et la seconde aux affaires. Quoi qu'il en soit, c'est sur leur combinaison que s'établissent les meilleurs rapports qu'on peut donner à la pluralité pour prononcer.

Chapitre 4.3 Des élections

A l'égard des élections du prince et des magistrats, qui sont, comme je l'ai dit, des actes complexes, il y a deux voies pour y procéder, savoir, le choix et le sort. L'une, et l'autre ont été employées en diverses républiques, et l'on voit encore actuellement un mélange très compliqué des deux dans l'élection du doge de Venise.

"Le suffrage par le sort, dit Montesquieu, est de la nature de la démocratie." J'en conviens, mais comment cela? "Le sort, continue-t-il, est une façon d'élire qui n'afflige personne: il laisse à chaque citoyen une espérance raisonnable de servir la patrie." Ce ne sont pas là des raisons.

Si l'on fait attention que l'élection des chefs est une fonction du gouvernement, et non de la souveraineté, on verra pourquoi la voie du sort est plus dans la nature de la démocratie, où l'administration est d'autant meilleure que les actes en sont moins multipliés.,

Dans toute véritable démocratie, la magistrature n'est pas un avantage, mais une charge onéreuse qu'on ne peut justement imposer à un particulier plutôt qu'à un autre. La loi seule peut imposer cette charge à celui sur qui le sort tombera. Car alors, la condition étant égale pour tous, et le choix ne dépendant d'aucune volonté humaine, il n'y a point d'application particulière qui altère l'universalité de la loi. Dans l'aristocratie le prince choisit le prince, le gouvernement se conserve par lui-même, et c'est là que les suffrages sont bien placés.

L'exemple de l'élection du doge de Venise confirme cette distinction, loin de la détruire: cette forme mêlée convient dans un gouvernement mixte. Car c'est une

In my earlier demonstration of how particular wills are substituted for the general will in public deliberation, I have adequately pointed out the practicable methods of avoiding this abuse; and I shall have more to say of them later on. I have also given the principles for determining the proportional number of votes for declaring that will. A difference of one vote destroys equality; a single opponent destroys unanimity; but between equality and unanimity, there are several grades of unequal division, at each of which this proportion may be fixed in accordance with the condition and the needs of the body politic.

There are two general rules that may serve to regulate this relation. First, the more grave and important the questions discussed, the nearer should the opinion that is to prevail approach unanimity. Secondly, the more the matter in hand calls for speed, the smaller the prescribed difference in the numbers of votes may be allowed to become: where an instant decision has to be reached, a majority of one vote should be enough. The first of these two rules seems more in harmony with the laws, and the second with practical affairs. In any case, it is the combination of them that gives the best proportions for determining the majority necessary.

Chapter 4.3 Elections

In the elections of the prince and the magistrates, which are, as I have said, complex acts, there are two possible methods of procedure, choice and lot. Both have been employed in various republics, and a highly complicated mixture of the two still survives in the election of the Doge at Venice.

"Election by lot," says Montesquieu, "is democratic in nature." I agree that it is so; but in what sense? "The lot," he goes on, "is a way of making choice that is unfair to nobody; it leaves each citizen a reasonable hope of serving his country." These are not reasons.

If we bear in mind that the election of rulers is a function of government, and not of Sovereignty, we shall see why the lot is the method more natural to democracy, in which the administration is better in proportion as the number of its acts is small.

In every real democracy, magistracy is not an advantage, but a burdensome charge which cannot justly be imposed on one individual rather than another. The law alone can lay the charge on him on whom the lot falls. For, the conditions being then the same for all, and the choice not depending on any human will, there is no particular application to alter the universality of the law.

In an aristocracy, the prince chooses the prince, the government is preserved by itself, and voting is rightly ordered.

The instance of the election of the Doge of Venice confirms, instead of destroying, this distinction; the mixed form suits a mixed government. For it is an error to take the government of Venice for a real aristocracy. If the people has no share in the

erreur de prendre le gouvernement de Venise pour une véritable aristocratie. Si le peuple n'y a nulle part au gouvernement, la noblesse y est peuple elle-même. Une multitude de pauvres Barnabotes n'approcha jamais d'aucune magistrature, et n'a de sa noblesse que le vain titre d'excellence et le droit d'assister au grand conseil. Ce grand conseil étant aussi nombreux que notre conseil général à Genève, ses illustres membres n'ont pas plus de privilèges que nos simples citoyens. Il est certain qu'ôtant l'extrême disparité des deux républiques, la bourgeoisie de Genève représente exactement le patriciat vénitien; nos natifs et habitants représentent les citadins et le peuple de Venise; nos paysans représentent les sujets de terre ferme: enfin, de quelque manière que l'on considère cette république, abstraction faite de sa grandeur, son gouvernement n'est pas plus aristocratique que le nôtre. Toute la différence est que, n'ayant aucun chef à vie, nous n'avons pas le même besoin du sort.

Les élections par le sort auraient peu d'inconvénients dans une véritable démocratie où, tout étant égal aussi bien par les mœurs et par les talents que par les maximes et par la fortune, le choix deviendrait presque indifférent. Mais j'ai déjà dit qu'il n'y avait point de véritable démocratie.

Quand le choix et le sort se trouvent mêlés, le premier doit remplir les places qui demandent des talents propres, telles que les emplois militaires: l'autre con vient à celles où suffisent le bon sens, la justice, l'intégrité, telles que les charges de judicature, parce que, dans un État bien constitué, ces qualités sont communes à tous les citoyens.

Le sort ni les suffrages n'ont aucun lieu dans le gouvernement monarchique. Le monarque étant de droit seul prince et magistrat unique, le choix de ses lieutenants n'appartient qu'à lui. Quand l'abbé de Saint-Pierre proposait de multiplier les conseils du roi de France, et d'en élire les membres par scrutin, il ne voyait pas qu'il proposait de changer la forme du gouvernement lu.

Il me resterait à parler de la manière de donner et de recueillir les voix dans l'assemblée du peuple; mais peut-être l'historique de la police romaine à cet égard expliquera-t-il plus sensiblement toutes les maximes que je pourrais établir. Il n'est pas indigne d'un lecteur judicieux de voir un peu en détail comment se traitaient les affaires publiques et particulières dans un conseil de deux cent mille hommes.

Chapitre 4.4 Des comices romains

Nous n'avons nuls monuments bien assurés des premiers temps de Rome; il y a même grande apparence que la plupart des choses qu'on en débite sont des fables[34] et, en général, la partie la plus instructive des annales des peuples, qui est l'histoire

---

34 Le nom de *Rome* qu'on prétend venir de *Romulus* est grec, et signifie *force*; le nom de *Numa* est grec aussi, et signifie *Loi*. Quelle apparence que les deux premiers rois de cette ville aient porté d'avance des noms si bien relatifs à ce qu'ils ont fait?

government, the nobility is itself the people. A host of poor Barnabotes never gets near any magistracy, and its nobility consists merely in the empty title of Excellency, and in the right to sit in the Great Council. As this Great Council is as numerous as our General Council at Geneva, its illustrious members have no more privileges than our plain citizens. It is indisputable that, apart from the extreme disparity between the two republics, the bourgeoisie of Geneva is exactly equivalent to the patriciate of Venice; our natives and inhabitants correspond to the townsmen and the people of Venice; our peasants correspond to the subjects on the mainland; and, however that republic be regarded, if its size be left out of account, its government is no more aristocratic than our own. The whole difference is that, having no life-ruler, we do not, like Venice, need to use the lot. Election by lot would have few disadvantages in a real democracy, in which, as equality would everywhere exist in morals and talents as well as in principles and fortunes, it would become almost a matter of indifference who was chosen. But I have already said that a real democracy is only an ideal.

When choice and lot are combined, positions that require special talents, such as military posts, should be filled by the former; the latter does for cases, such as judicial offices, in which good sense, justice, and integrity are enough, because in a State that is well constituted, these qualities are common to all the citizens.

Neither lot nor vote has any place in monarchical government. The monarch being by right sole prince and only magistrate, the choice of his lieutenants belongs to none but him. When the Abbé de Saint-Pierre proposed that the Councils of the King of France should be multiplied, and their members elected by ballot, he did not see that he was proposing to change the form of government.

I should now speak of the methods of giving and counting opinions in the assembly of the people; but perhaps an account of this aspect of the Roman constitution will more forcibly illustrate all the rules I could lay down. It is worth the while of a judicious reader to follow in some detail the working of public and private affairs in a Council consisting of two hundred thousand men.

Chapter 4.4 The Roman Comitia

We are without well-certified records of the first period of Rome's existence; it even appears very probable that most of the stories told about it are fables;[34] indeed, generally speaking, the most instructive part of the history of peoples, that

---

34 The name "Rome", which claims to come from Romulus, is Greek and means force, the name "Numa" is also Greek and means Law. What a shock that the first two kings of this city bore names which aptly described what they achieved?

de leur établissement, est celle qui nous manque le plus. L'expérience nous apprend tous les jours de quelles causes naissent les révolutions des empires: mais, comme il ne se forme plus de peuple, nous n'avons guère que des conjectures, pour expliquer comment ils se sont formés.

Les usages qu'on trouve établis attestent au moins qu'il y eut une origine à ces usages. Des traditions qui remontent à ces Origines,, celles qu'appuient les plus grandes autorités, et que de plus fortes raisons confirment, doivent passer pour les plus certaines. Voilà les maximes que j'ai tâché de suivre en recherchant comment le plus libre et le plus puissant peuple de la terre exerçait son pouvoir suprême.

Après la fondation de Rome, la république naissante, c'est-à-dire l'armée du fondateur, composée d'Albains, de Sabins et d'étrangers, fut divisée en trois classes qui, de cette division, prirent le nom de tribus. Chacune de ces tribus fut subdivisée en dix curies, et chaque curie en décuries, à la tête desquelles on mit des chefs appelés curions et décurions.

outre cela, on tira de chaque tribu un corps de cent cavaliers ou chevaliers, appelé centurie, par où l'on voit que ces divisions, peu nécessaires dans un bourg, n'étaient d'abord que militaires. Mais il semble qu'un instinct de grandeur portait la petite ville de Rome à se donner d'avance une police convenable à la capitale du monde.

De ce premier partage, résulta bientôt un inconvénient; 'c'est que la tribu des Albains (Ramnenses) et celle des Sabins (Tatienses) restant toujours au même état, tandis que celle des étrangers (Luceres) croissait sans cesse par le concours perpétuel de ceux-ci, cette dernière ne tarda pas à surpasser les deux autres. Le remède que Servius trouva à ce dangereux abus fut de changer la division, et à celle des races, qu'il abolit, d'en substituer une autre tirée des lieux de la ville occupés par chaque tribu. Au lieu de trois tribus il en fit quatre, chacune desquelles occupait une des collines de Rome et en portait le nom Ainsi, remédiant à l'inégalité présente, il la prévint encore pour l'avenir; et afin que cette division ne fût pas seulement de houx, mais d'hommes, il défendit aux habitants d'un quartier de passer dans un autre; ce qui empêcha les races de se confondre.

Il doubla aussi les trois anciennes centuries de cavalerie, et y en ajouta douze autres, mais toujours tous les anciens noms; moyen simple et judicieux, par lequel à acheva de distinguer le corps des chevaliers de celui du peuple, sans faire murmurer ce dernier.

A ces quatre tribus urbaines, Servius en ajouta quinze autres appelées tribus rustiques, parce qu'elles étaient formées des habitants de la campagne, partagés en autant de cantons. Dans la suite on en fit autant de nouvelles; et le peuple romain se trouva enfin divisé en trente-cinq tribus, nombre auquel elles restèrent fixées jusqu'à la fin de la république.

De cette distinction des tribus de la ville et des tribus de la campagne résulta un effet digne d'être observé, parce qu'à n'y en a point d'autre exemple, et que Rome

which deals with their foundation, is what we have least of. Experience teaches us every day what causes lead to the revolutions of empires; but, as no new peoples are now formed, we have almost nothing beyond conjecture to go upon in explaining how they were created.

The customs we find established show at least that these customs had an origin. The traditions that go back to those origins, that have the greatest authorities behind them, and that are confirmed by the strongest proofs, should pass for the most certain. These are the rules I have tried to follow in inquiring how the freest and most powerful people on earth exercised its supreme power. After the foundation of Rome, the new-born republic, that is, the army of its founder, composed of Albans, Sabines and foreigners, was divided into three classes, which, from this division, took the name of tribes. Each of these tribes was subdivided into ten curiæ, and each curia into decuriæ, headed by leaders called curiones and decuriones.

Besides this, out of each tribe was taken a body of one hundred Equites or Knights, called a century, which shows that these divisions, being unnecessary in a town, were at first merely military. But an instinct for greatness seems to have led the little township of Rome to provide itself in advance with a political system suitable for the capital of the world.

Out of this original division an awkward situation soon arose. The tribes of the Albans (Ramnenses) and the Sabines (Tatienses) remained always in the same condition, while that of the foreigners (Luceres) continually grew as more and more foreigners came to live at Rome, so that it soon surpassed the others in strength. Servius remedied this dangerous fault by changing the principle of cleavage, and substituting for the racial division, which he abolished, a new one based on the quarter of the town inhabited by each tribe. Instead of three tribes he created four, each occupying and named after one of the hills of Rome. Thus, while redressing the inequality of the moment, he also provided for the future; and in order that the division might be one of persons as well as localities, he forbade the inhabitants of one quarter to migrate to another, and so prevented the mingling of the races.

He also doubled the three old centuries of Knights and added twelve more, still keeping the old names, and by this simple and prudent method, succeeded in making a distinction between the body of Knights, and the people, without a murmur from the latter.

To the four urban tribes Servius added fifteen others called rural tribes, because they consisted of those who lived in the country, divided into fifteen cantons. Subsequently, fifteen more were created, and the Roman people finally found itself divided into thirty-five tribes, as it remained down to the end of the Republic. The distinction between urban and rural tribes had one effect which is worth mention, both because it is without parallel elsewhere, and because to it Rome

lui dut à la fois la conservation de ses mœurs et l'accroissement de son empire. On croirait que les tribus urbaines s'arrogèrent bientôt la puissance et les honneurs, et ne tardèrent pas d'avilir les tribus rustiques: ce fut tout le contraire. On connaît le goût des premiers Romains pour la vie champêtre. Ce goût leur venait du sage instituteur qui unit à la liberté les travaux rustiques et militaires, et relégua pour ainsi dire à la ville les arts, les métiers, l'intrigue, la fortune et l'esclavage.

Ainsi, tout ce que Rome avait d'illustre vivant aux champs et cultivant les terres, on s'accoutuma à ne chercher que là les soutiens de la république. Cet état, étant celui des plus dignes patriciens, fut honoré de tout le monde; la vie simple et laborieuse des villageois fut préférée à la vie oisive et lâche des bourgeois de Rome; et tel n'eût été qu'un malheureux prolétaire à la ville, qui, laboureur aux champs, devint un citoyen respecté. Ce n'est pas sans raison, disait Varron, que nos magnanimes ancêtres établirent au village la pépinière de ces robustes et vaillants hommes qui les défendaient en temps de guerre et les nourrissaient en temps de paix. Pline dit positivement que les tribus des champs étaient honorées à cause des hommes qui les composaient; au lieu qu'on transférait par ignominie dans celles de la ville les lâches qu'on voulait avilir. Le Sabin Appius Claudius, étant venu s'établir à Rome, y fut comblé d'honneurs et inscrit dans une tribu rustique, qui prit dans la suite le nom de sa famille. Enfin, les affranchis entraient tous dans les tribus urbaines, jamais dans les rurales; et il n'y a pas, durant toute la république, un seul exemple d'aucun de ces affranchis parvenu à aucune magistrature, quoique devenu citoyen. Cette maxime était excellente; mais elle fut poussée si loin, qu'il en résulta enfin un changement, et certainement un abus dans la police.

Premièrement, les censeurs, après s'être arrogé longtemps le droit de transférer arbitrairement les citoyens d'une tribu à l'autre, permirent à la plupart de se faire inscrire dans celle qui leur plaisait; permission qui sûrement n'était bonne à rien, et ôtait un des grands ressorts de la censure. De plus, les grands et les puissants se faisant tous inscrire dans les tribus de la campagne, et les affranchis devenus citoyens restant avec la populace dans celles de la ville, les tribus, en général, n'eurent plus de lieu ni de territoire, mais toutes se trouvèrent tellement mêlées, qu'on ne pouvait plus discerner les membres de chacune que par les registres; en sorte que l'idée du mot tribu passa ainsi du réel au personnel, ou plutôt devint presque une chimère.

Il arriva encore que les tribus de la ville, étant plus à portée, se trouvèrent souvent les plus fortes dans les comices, et vendirent l'État à ceux qui daignaient acheter les suffrages de la canaille qui les composait.

A l'égard des curies, l'instituteur, en ayant fait dix en chaque tribu, tout le peuple romain, alors renfermé dans les murs de la ville, se trouva composé de trente curies, dont chacune avait ses temples, ses dieux, ses officiers, ses prêtres et ses fêtes, owed the preservation of her morality and the enlargement of her empire. We should have expected that the urban tribes would soon monopolise power and

honours, and lose no time in bringing the rural tribes into disrepute; but what happened was exactly the reverse. The taste of the early Romans for country life is well known. This taste they owed to their wise founder, who made rural and military labours go along with liberty, and, so to speak, relegated to the town arts, crafts, intrigue, fortune and slavery.

Since therefore all Rome's most illustrious citizens lived in the fields and tilled the earth, men grew used to seeking there alone the mainstays of the republic. This condition, being that of the best patricians, was honoured by all men; the simple and laborious life of the villager was preferred to the slothful and idle life of the bourgeoisie of Rome; and he who, in the town, would have been but a wretched proletarian, became, as a labourer in the fields, a respected citizen. Not without reason, says Varro, did our great-souled ancestors establish in the village the nursery of the sturdy and valiant men who defended them in time of war and provided for their sustenance in time of peace. Pliny states positively that the country tribes were honoured because of the men of whom they were composed; while cowards men wished to dishonour were transferred, as a public disgrace, to the town tribes. The Sabine Appius Claudius, when he had come to settle in Rome, was loaded with honours and enrolled in a rural tribe, which subsequently took his family name. Lastly, freedmen always entered the urban, arid never the rural, tribes: nor is there a single example, throughout the Republic, of a freedman, though he had become a citizen, reaching any magistracy.

This was an excellent rule; but it was carried so far that in the end it led to a change and certainly to an abuse in the political system.

First the censors, after having for a long time claimed the right of transferring citizens arbitrarily from one tribe to another, allowed most persons to enrol themselves in whatever tribe they pleased. This permission certainly did no good, and further robbed the censorship of one of its greatest resources. Moreover, as the great and powerful all got themselves enrolled in the country tribes, while the freedmen who had become citizens remained with the populace in the town tribes, both soon ceased to have any local or territorial meaning, and all were so confusedthat the members of one could not be told from those of another except by the registers; so that the idea of the word tribe became personal instead of real, or rather came to be little more than a chimera.

It happened in addition that the town tribes, being more on the spot, were often the stronger in the comitia and sold the State to those who stooped to buy the votes of the rabble composing them.

As the founder had set up ten curiæ in each tribe, the whole Roman people, which was then contained within the walls, consisted of thirty curiæ, each with its temples, its gods, its officers, its priests and its festivals, which were called

appelées compitalia, semblables aux paganalia, qu'eurent dans la suite les tribus rustiques.

Au nouveau partage de Servius, ce nombre de trente ne pouvant se répartir également, dans ses quatre tribus, il n'y voulut point toucher; et les curies, indépendantes des tribus, devinrent une autre division des habitants de Rome; mais il ne fut point question de curies, ni dans les tribus rustiques ni dans le peuple qui les composait, parce que les tribus étant devenues un établissement purement civil, et une autre police ayant été introduite pour la levée des troupes, les divisions militaires de Romulus se trouvèrent superflues. Ainsi, quoique tout citoyen fût inscrit dans une tribu, il s'en fallait de beaucoup que chacun ne le fût dans une curie. Servius fit encore une troisième division, qui n'avait aucun rapport aux deux précédentes, et devint, par ses effets, la plus importante de toutes. Il distribua tout le peuple romain en six classes, qu'il ne distingua ni par le lieu ni par les hommes, mais par biens; en sorte que les premières classes étaient remplies par les riches, les dernières par les pauvres, et les moyennes par ceux qui jouissaient d'une fortune médiocre. Ces six classes étaient subdivisées en cent quatre-vingt-treize autres corps, appelés centuries; et ces corps étaient tellement distribués, que la première classe en comprenait, seule, plus de la moitié, et la dernière n'en formait qu'un seul. Il se trouva ainsi que la classe la moins nombreuse en hommes l'était le plus en centuries, et que la dernière classe entière n'était comptée que pour une subdivision, bien qu'elle contînt seule plus de là moitié des habitants de Rome.

Afin que le peuple pénétrât moins les conséquences de cette dernière forme, Servius affecta de lui donner un air militaire: il inséra dans la seconde classe deux centuries d'armuriers, et deux d'instruments de guerre dans la quatrième: dans chaque classe, excepté la dernière, il distingua les jeunes et les vieux, c'est-à-dire ceux qui étaient obligés de porter les armes, et ceux que leur âge en exemptait par les lois; distinction qui, plus que celle des biens, produisit la nécessité de recommencer souvent le cens ou dénombrement; enfin, il voulut que l'assemblée se tînt au champ de Mars, et que tous ceux qui étaient en âge de servir y vinssent avec leurs armes.

La raison pour laquelle il ne suivit pas dans la dernière classe cette même division des jeunes et des vieux, c'est qu'on n'accordait point à la populace, dont elle était composée, l'honneur de porter les armes pour la patrie; il fallait avoir des foyers pour obtenir le droit de les défendre: et, de ces innombrables troupes de gueux dont brillent aujourd'hui les armées des rois, il n'y en a pas un peut-être qui n'eût été chassé avec dédain d'une cohorte romaine, quand les soldats étaient les défenseurs de la liberté.On distingua pourtant encore, dans la dernière classe, les prolétaires de ceux qu'on appelait capite cens! Les premiers, non tout à fait réduits à rien, donnaient au moins des citoyens à l'État, quelquefois même des soldats dans les besoins pressants. Pour ceux qui n'avaient rien du tout et qu'on ne pouvait dénombrer que par leurs têtes, ils étaient tout à fait regardés comme nuls, et Marius fut le premier qui daigna les enrôler.

compitalia and corresponded to the paganalia, held in later times by the rural tribes.

When Servius made his new division, as the thirty curiæ could not be shared equally between his four tribes, and as he was unwilling to interfere with them, they became a further division of the inhabitants of Rome, quite independent of the tribes: but in the case of the rural tribes and their members there was no question of curiæ, as the tribes had then become a purely civil institution, and, a new system of levying troops having been introduced, the military divisions of Romulus were superfluous. Thus, although every citizen was enrolled in a tribe, there were very many who were not members of a curia.

Servius made yet a third division, quite distinct from the two we have mentioned, which became, in its effects, the most important of all. He distributed the whole Roman people into six classes, distinguished neither by place nor by person, but by wealth; the first classes included the rich, the last the poor, and those between persons of moderate means. These six classes were subdivided into one hundred and ninety-three other bodies, called centuries, which were so divided that the first class alone comprised more than half of them, while the last comprised only one. Thus the class that had the smallest number of members had the largest number of centuries, and the whole of the last class only counted as a single subdivision, although it alone included more than half the inhabitants of Rome.

In order that the people might have the less insight into the results of this arrangement, Servius tried to give it a military tone: in the second class he inserted two centuries of armourers, and in the fourth two of makers of instruments of war: in each class, except the last, he distinguished young and old, that is, those who were under an obligation to bear arms and those whose age gave them legal exemption. It was this distinction, rather than that of wealth, which required frequent repetition of the census or counting. Lastly, he ordered that the assembly should be held in the Campus Martius, and that all who were of age to serve should come there armed.

The reason for his not making in the last class also the division of young and old was that the populace, of whom it was composed, was not given the right to bear arms for its country: a man had to possess a hearth to acquire the right to defend it, and of all the troops of beggars who to-day lend lustre to the armies of kings, there is perhaps not one who would not have been driven with scorn out of a Roman cohort, at a time when soldiers were the defenders of liberty.

In this last class, however, proletarians were distinguished from capite censi. The former, not quite reduced to nothing, at least gave the State citizens, and sometimes, when the need was pressing, even soldiers. Those who had nothing at all, and could be numbered only by counting heads, were regarded as of absolutely no account, and Marius was the first who stooped to enrol them.

Sans décider ici si ce troisième dénombrement était bon ou mauvais en lui-même, je crois pouvoir affirmer qu'il n'y avait que les mœurs simples des premiers Romains, leur désintéressement, leur goût pour l'agriculture, leur. mépris pour le commerce et pour l'ardeur du gain, qui pussent le rendre praticable. Où est le peuple moderne chez lequel la dévorante avidité, l'esprit inquiet, l'intrigue, les déplacements continuels, les perpétuels révolutions des fortunes, pussent laisser durer vingt ans un pareil établissement sans bouleverser tout l'État? Il faut même bien remarquer que les mœurs et la censure, plus fortes que cette institution, en corrigèrent le vice à Rome, et que tel riche se vit relégué dans la classe des pauvres pour avoir trop étalé sa richesse.

De tout ceci l'on peut comprendre aisément pourquoi il n'est presque jamais fait mention que de cinq classes, quoiqu'il y en eût réellement six. La sixième, ne fournissant ni soldats à l'armée, ni votants au champ de Mars[35] et n'étant presque d'aucun usage dans la république, était rarement comptée pour quelque chose. Telles furent les différentes divisions du peuple romain. Voyons à présent l'effet qu'elles produisaient dans les assemblées. Ces assemblées légitimement convoquées s'appelaient comices: elles se tenaient ordinairement dans la place de Rome ou au champ de Mars, et se distinguaient en comices par curies, comices par centuries, et comices par tribus, selon celle de ces trois formes sur laquelle elles étaient ordonnées. Les comices par curies étaient de l'institution de Romulus; ceux par centuries, de Servius; ceux par tribus, des tribuns du peuple. Aucune loi ne recevait la sanction, aucun magistrat n'était élu, que dans les comices; et comme il n'y avait aucun citoyen qui ne fût inscrit dans une curie, dans une centurie, ou dans une tribu, il s'ensuit qu'aucun citoyen n'était exclu du droit de suffrage, et que le peuple romain était véritablement souverain de droit et de fait.

Pour que les comices fussent légitimement assemblés, et que ce qui s'y faisait eût force de loi, il fallait trois conditions: la première, que le corps ou la magistrat qui les convoquait fût revêtu pour cela de l'autorité nécessaire; la seconde, que l'assemblée se fît un des jours permis par la loi; la troisième, que les augures fussent favorables.

La raison du premier règlement n'a pas besoin d'être expliquée; le second est une affaire de police: ainsi il n'était pas permis de tenir les comices les jours de férie et de marché, où les gens de la campagne, venant à Rome pour leurs affaires, n'avaient pas le temps de passer la journée dans la place publique. Par le troisième, le sénat tenait en bride un peuple fier et remuant, et tempérait à propos l'ardeur des tribuns séditieux; mais ceux-ci trouvèrent plus d'un moyen de se délivrer de cette gêne.

Les lois et l'élection des chefs n'étaient pas les seuls points soumis au jugement des

---

35 Je dis, au *champ de Mars*, parce que c'était là que s'assemblaient les comices par centuries; dans les deux autres formes le peuple s'assemblait au *forum* ou ailleurs, et alors les *capite censi* avaient autant d'influence et d'autorité que les premiers citoyens.

Without deciding now whether this third arrangement was good or bad in itself, I think I may assert that it could have been made practicable only by the simple morals, the disinterestedness, the liking for agriculture and the scorn for commerce and for love of gain which characterised the early Romans. Where is the modern people among whom consuming greed, unrest, intrigue, continual removals, and perpetual changes of fortune, could let such a system last for twenty years without turning the State upside down? We must indeed observe that morality and the censorship, being stronger than this institution, corrected its defects at Rome, and that the rich man found himself degraded to the class of the poor for making too much display of his riches.

From all this it is easy to understand why only five classes are almost always mentioned, though there were really six. The sixth, as it furnished neither soldiers to the army nor votes in the Campus Martius,[35] and was almost without function in the State, was seldom regarded as of any account.

These were the various ways in which the Roman people was divided. Let us now see the effect on the assemblies. When lawfully summoned, these were called comitia: they were usually held in the public square at Rome or in the Campus Martius, and were distinguished as comitia curiata, comitia centuriata, and comitia tributa, according to the form under which they were convoked. The comitiacuriata were founded by Romulus; the centuriata by Servius; and the tributa by the tribunes of the people. No law received its sanction and no magistrate was elected, save in the comitia; and as every citizen was enrolled in a curia, a century, or a tribe, it follows that no citizen was excluded from the right of voting, and that the Roman people was truly sovereign both de jure and de facto.

For the comitia to be lawfully assembled, and for their acts to have the force of law, three conditions were necessary. First, the body or magistrate convoking them had to possess the necessary authority; secondly, the assembly had to be held on a day allowed by law; and thirdly, the auguries had to be favourable.

The reason for the first regulation needs no explanation; the second is a matter of policy. Thus, the comitia might not be held on festivals or market-days, when the country-folk, coming to Rome on business, had not time to spend the day in the public square. By means of the third, the senate held in check the proud and restive people, and meetly restrained the ardour of seditious tribunes, who, however, found more than one way of escaping this hindrance.

Laws and the election of rulers were not the only questions submitted to the

---

35 I say "in the Campus Martius" because it was there that the comitia assembled by centuries; in its two other forms the people assembled in the forum or elsewhere; and then the capite censi had as much influence and authority as the foremost citizens.

comices - le peuple romain ayant usurpé les plus importantes fonctions du gouvernement, on peut dire que le sort de l'Europe était réglé dans ses assemblées. Cette variété d'objets donnait lieu aux diverses formes que prenaient ces assemblées, selon les matières sur lesquelles il avait à prononcer.

Pour juger de ces diverses formes, il suffit de les comparer. Romulus, en instituant les curies, avait en vue de contenir le sénat par le peuple et le peuple par le sénat, en dominant également sur tous. Il donna donc au peuple, par cette forme, toute l'autorité du nombre pour balancer celle de la puissance et des richesses qu'il laissait aux patriciens. Mais, selon l'esprit de la monarchie, il laissa cependant plus d'avantage aux patriciens par l'influence de leurs clients sur la pluralité des suffrages. Cette admirable institution des patrons et des clients fut un chef-d'œuvre de politique et d'humanité sans lequel le patriciat, si contraire à l'esprit de la république, n'eût pu subsister. Rome seule a eu l'honneur de donner au monde ce bel exemple, duquel il ne résulta jamais d'abus, et qui pourtant n'a jamais été suivi. Cette même forme des curies ayant subsisté sous les rois jusqu'à Servius, et le règne du dernier Tarquin n'étant point compté pour légitime, cela fit distinguer généralement les lois royales par le nom de leges curiatae.

Sous la république, les curies, toujours bornées aux quatre tribus urbaines, et ne contenant plus que la populace de Rome, ne pouvaient convenir ni au sénat, qui était à la tête des patriciens, ni aux tribuns qui, quoique plébéiens, étaient à la tête des citoyens aisés. Elles tombèrent donc dans le discrédit; leur avilissement fut tel, que leurs trente licteurs assemblés faisaient ce que les comices par curies auraient dû faire.

La division par centuries était si favorable à l'aristocratie, qu'on ne voit pas d'abord comment le sénat ne l'emportait pas toujours dans les comices qui portaient ce nom, et par lesquels étaient élus les consuls, les censeurs et les autres magistrats curules. En effet, de cent quatre-vingt-treize centuries qui formaient les six classes de tout le peuple romain, la première classe en comprenant quatre-vingt-dix-huit, et les voix ne se comptant que par centuries, cette seule première classe l'emportait en nombre de voix sur toutes les autres. Quand toutes ces centuries étaient d'accord, on ne continuait pas même à recueillir les suffrages; ce qu'avait décidé le plus petit nombre passait pour une décision de la multitude; et l'on peut dire que, dans les comices par centuries, les affaires se réglaient à la pluralité des écus bien plus qu'à celle des voix.

Mais cette extrême autorité se tempérait par deux moyens: premièrement, les tribus pour l'ordinaire, et toujours un grand nombre de plébéiens, étant dans la classe des riches, balançaient le crédit des patriciens dans cette première classe.

Le second moyen consistait en ceci, qu'au lieu de faire d'abord voter les centuries selon leur ordre, ce qui aurait toujours fait commencer par la première, on en tirait une au sort, et celle-là[36] procédait seule à l'élection; après quoi toutes les centuries,

---

36 Cette centurie ainsi tirée au sort s'appelait *prae rogativa*, à cause qu'elle était la première à qui l'on

judgment of the comitia: as the Roman people had taken on itself the most important functions of government, it may be said that the lot of Europe was regulated in its assemblies. The variety of their objects gave rise to the various forms these took, according to the matters on which they had to pronounce.

In order to judge of these various forms, it is enough to compare them. Romulus, when he set up curia, had in view the checking of the senate by the people, and of the people by the senate, while maintaining his ascendancy over both alike. He therefore gave the people, by means of this assembly, all the authority of numbers to balance that of power and riches, which he left to the patricians. But, after the spirit of monarchy, he left all the same a greater advantage to the patricians in the influence of their clients on the majority of votes. This excellent institution of patron and client was a masterpiece of statesmanship and humanity without which the patriciate, being flagrantly in contradiction to the republican spirit, could not have survived. Rome alone has the honour of having given to the world this great example, which never led to any abuse, and yet has never been followed.

As the assemblies by curiæ persisted under the kings till the time of Servius, and the reign of the later Tarquin was not regarded as legitimate, royal laws were called generally leges curiatæ.

Under the Republic, the curiæs, still confined to the four urban tribes, and including only the populace of Rome, suited neither the senate, which led the patricians, nor the tribunes, who, though plebeians, were at the head of the well-to-do citizens. They therefore fell into disrepute, and their degradation was such, that thirty lictors used to assemble and do what the comitia curiata should have done.

The division by centuries was so favourable to the aristocracy that it is hard to see at first how the senate ever failed to carry the day in the comitia bearing their name, by which the consuls, the censors and the other curule magistrates were elected. Indeed, of the hundred and ninety-three centuries into which the six classes of the whole Roman people were divided, the first class contained ninety-eight; and, as voting went solely by centuries, this class alone had a majority over all the rest. When all these centuries were in agreement, the rest of the votes were not even taken; the decision of the smallest number passed for that of the multitude, and it may be said that, in the comitia centuriata, decisions were regulated far more by depth of purses than by the number of votes.

But this extreme authority was modified in two ways. First, the tribunes as a rule, and always a great number of plebeians, belonged to the class of the rich, and so counterbalanced the influence of the patricians in the first class.

The second way was this. Instead of causing the centuries to vote throughout in order, which would have meant beginning always with the first, the Romans always chose one by lot which proceeded alone to the election;[36] after this all the

---

36 The centuury chosen by lot was called *præ rogavtiva,* because they were the first to be asked to vote,

appelées un autre jour selon leur rang, répétaient la même élection, et laconfirmaient ordinairement. On ôtait ainsi l'autorité de l'exemple au rang pour la donner au sort, selon le principe de la démocratie.

Il résultait de cet usage un autre avantage encore c'est que les citoyens de la campagne avaient le temps, entre les deux élections, de s'informer du mérite du candidat provisionnellement nommé, afin de ne donner leur voix qu'avec connaissance de cause. Mais, sous prétexte de célérité, l'on vint à bout d'abolir cet usage, et les deux élections se firent le même jour.

Les comices par tribus étaient proprement le conseil du peuple romain. Ils ne se convoquaient que par les tribuns; les tribuns y étaient élus et y passaient leurs plébiscites. Non seulement le sénat n'y avait point de rang, il n'avait pas même le droit d'y assister; et, forcés d'obéir à des lois sur lesquelles ils n'avaient pu voter, les sénateurs à cet égard, étaient moins libres que les derniers citoyens. Cette injustice était tout à fait mal entendue, et suffisait seule pour invalider les décrets d'un corps où tous ses membres n'étaient pas admis. Quand tous les patriciens eussent assisté à ces comices selon le droit qu'ils en avaient comme citoyens, devenus alors simples particuliers, ils n'eussent guère influé sur une forme de suffrages qui se recueillaient par tête, et où le moindre prolétaire pouvait autant que le prince du sénat.

On voit donc qu'outre l'ordre qui résultait de ces diverses distributions pour le recueillement des suffrages d'un si grand peuple, ces distributions ne se réduisaient pas à des formes indifférentes en elles-mêmes, mais que chacune avait des effets relatifs aux vues qui la faisaient préférer.

Sans entrer là-dessus en de plus longs détails, il résulte des éclaircissements précédents que les comices par tribus étaient plus favorables au gouvernement populaire, et les comices par centuries à l'aristocratie. À l'égard des comices par curies, où la seule populace de Rome formait la pluralité, comme ils n'étaient bons qu'à favoriser la tyrannie et les mauvais desseins, ils durent tomber dans le décri, les séditieux eux-mêmes s'abstenant d'un moyen qui mettait trop à découvert leurs projets. Il est certain que toute la majesté du peuple romain ne se trouvait que dans les comices par centuries, qui seuls étaient complets; attendu que dans les comices par curies manquaient les tribus rustiques, et dans les comices par tribus le sénat et les patriciens.

Quant à la manière de recueillir les suffrages, elle était chez les premiers Romains aussi simple que leurs mœurs, quoique moins simple encore qu'à Sparte. Chacun donnait son suffrage à haute voix, un greffier les écrivait à mesure: pluralité de voix dans chaque tribu déterminait le suffrage de la tribu; pluralité des voix entre les tribus déterminait le suffrage du peuple; et ainsi des curies et des centuries. Cet usage était bon tant que l'honnêteté régnait entre les citoyens, et que chacun avait honte de donner publiquement son suffrage à un avis injuste ou à un sujet indigne; mais, quand le peuple se corrompit et qu'on acheta les voix, il convint qu'elles se

---

demandait son suffrage, et c'est de là qu'est venu le mot de *prérogative*.

centuries were summoned another day according to their rank, and the same election was repeated, and as a rule confirmed. Thus the authority of example was taken away from rank, and given to the lot on a democratic principle.

From this custom resulted a further advantage. The citizens from the country had time, between the two elections, to inform themselves of the merits of the candidate who had been provisionally nominated, and did not have to vote without knowledge of the case. But, under the pretext of hastening matters, the abolition of this custom was achieved, and both elections were held on the same day.

The comitia tributa were properly the council of the Roman people. They were convoked by the tribunes alone; at them the tribunes were elected and passed theirplebiscita. The senate not only had no standing in them, but even no right to be present; and the senators, being forced to obey laws on which they could not vote, were in this respect less free than the meanest citizens. This injustice was altogether ill-conceived, and was alone enough to invalidate the decrees of a body to which all its members were not admitted. Had all the patricians attended the comitia by virtue of the right they had as citizens, they would not, as mere private individuals, have had any considerable influence on a vote reckoned by counting heads, where the meanest proletarian was as good as the princeps senatus.

It may be seen, therefore, that besides the order which was achieved by these various ways of distributing so great a people and taking its votes, the various methods were not reducible to forms indifferent in themselves, but the results of each were relative to the objects which caused it to be preferred.

Without going here into further details, we may gather from what has been said above that the comitia tributa were the most favourable to popular government, and the comitia centuriata to aristocracy. The comitia curiata, in which the populace of Rome formed the majority, being fitted only to further tyranny and evil designs, naturally fell into disrepute, and even seditious persons abstained from using a method which too clearly revealed their projects. It is indisputable that the whole majesty of the Roman people lay solely in the comitia centuriata, which alone included all; for the comitia curiata excluded the rural tribes, and the comitia tributa the senate and the patricians.

As for the method of taking the vote, it was among the ancient Romans as simple as their morals, although not so simple as at Sparta. Each man declared his vote aloud, and a clerk duly wrote it down; the majority in each tribe determined the vote of the tribe, the majority of the tribes that of the people, and so with curiæ and centuries. This custom was good as long as honesty was triumphant among the citizens, and each man was ashamed to vote publicly in favour of an unjust proposal or an unworthy subject; but, when the people grew corrupt and votes were bought, it was fitting that voting should be secret in order that purchasers

---

and it's from this we get the word *prerogative*.

donnassent en secret pour contenir les acheteurs par la défiance, et fournir aux fripons le moyen de n'être pas des traîtres.

Je sais que Cicéron blâme ce changement, et lui attribue en partie la ruine de la république. Mais, quoique je sente le poids que doit avoir ici l'autorité de Cicéron, je ne puis être de son avis: je pense au contraire que, pour n'avoir pas fait assez de changements semblables, on accéléra la perte de l'État. Comme le régime des gens sains n'est pas propre aux malades, il ne faut pas vouloir gouverner un peuple corrompu par les mêmes lois qui conviennent à un bon peuple. Rien ne prouve mieux cette maxime que la durée de la république de Venise, dont le simulacre existe encore, uniquement parce que ses lois ne conviennent qu'à de méchants hommes.

On distribua donc aux citoyens des tablettes par lesquelles chacun pouvait voter sans qu'on sût quel était son avis: on établit aussi de nouvelles formalités pour le recueillement des tablettes, le compte des voix, la comparaison des nombres, etc.; ce qui n'empêcha pas que la fidélité des officiers chargés de ces fonctions[37] ne fût souvent suspectée. On fit enfin, pour empêcher la brigue et le trafic des suffrages, des édits dont la multitude montre l'inutilité.

Vers les derniers temps on était souvent contraint de recourir à des expédients extraordinaires pour suppléer à l'insuffisance des lois: tantôt on supposait des prodiges; mais ce moyen, qui pouvait en imposer au peuple, n'en imposait pas à ceux qui le gouvernaient: tantôt on convoquait brusquement une assemblée avant que les candidats eussent eu le temps de faire leurs brigues: tantôt on consumait toute une séance à parler quand on voyait le peuple gagné prêt à prendre un mauvais parti. Mais enfin l'ambition éluda tout; et ce qu'il y a d'incroyable, c'est qu'au milieu de tant d'abus, ce peuple immense, à la faveur de ses anciens règlements, ne laissait pas d'élire les magistrats, de passer les lois, de juger les causes, d'expédier les affaires particulières et publiques, presque avec autant de facilité qu'eût pu faire le sénat lui-même.

Chapitre 4.5 Du tribunat

Quand on ne peut établir une exacte proportion entre les parties constitutives de l'État, ou que des causes indestructibles en altèrent sans cesse les rapports, alors on institue une magistrature particulière qui ne fait point corps avec les autres, qui replace chaque terme dans son vrai rapport, et qui fait une liaison ou un moyen terme soit entre le prince et le peuple, soit entre le prince et le souverain, soit à la fois des deux côtés s'il est nécessaire.

Ce corps, que j'appellerai tribunat, est le conservateur des lois et du pouvoir législatif. Il sert quelquefois à protéger le souverain contre le gouvernement,

---

37 *Custodes, Distributores* (Edition de 1782: Diribitores), *Rogatores suffragiorum.*

might be restrained by mistrust, and rogues be given the means of not being traitors.

I know that Cicero attacks this change, and attributes partly to it the ruin of the Republic. But though I feel the weight Cicero's authority must carry on such a point, I cannot agree with him; I hold, on the contrary, that, for want of enough such changes, the destruction of the State must be hastened. Just as the regimen of health does not suit the sick, we should not wish to govern a people that has been corrupted by the laws that a good people requires. There is no better proof of this rule than the long life of the Republic of Venice, of which the shadow still exists, solely because its laws are suitable only for men who are wicked.

The citizens were provided, therefore, with tablets by means of which each man could vote without any one knowing how he voted: new methods were also introduced for collecting the tablets, for counting voices, for comparing numbers, etc.; but all these precautions did not prevent the good faith of the officers charged with these functions[37] from being often suspect. Finally, to prevent intrigues and trafficking in votes, edicts were issued; but their very number proves how useless they were.

Towards the close of the Republic, it was often necessary to have recourse to extraordinary expedients in order to supplement the inadequacy of the laws. Sometimes miracles were supposed; but this method, while it might impose on the people, could not impose on those who governed. Sometimes an assembly was hastily called together, before the candidates had time to form their factions: sometimes a whole sitting was occupied with talk, when it was seen that the people had been won over and was on the point of taking up a wrong position. But in the end ambition eluded all attempts to check it; and the most incredible fact of all is that, in the midst of all these abuses, the vast people, thanks to its ancient regulations, never ceased to elect magistrates, to pass laws, to judge cases, and to carry through business both public and private, almost as easily as the senate itself could have done.

Chapter 4.5 The Tribunate

When an exact proportion cannot be established between the constituent parts of the State, or when causes that cannot be removed continually alter the relation of one part to another, recourse is had to the institution of a peculiar magistracy that enters into no corporate unity with the rest. This restores to each term its right relation to the others, and provides a link or middle term between either prince and people, or prince and Sovereign, or, if necessary, both at once.

This body, which I shall call the tribunate, is the preserver of the laws and of the legislative power. It serves sometimes to protect the Sovereign against the

---

37 *Custodes, diribitores, rogatores suffragiorum.*

comme faisaient à Rome les tribuns du peuple; quelquefois à soutenir le gouvernement contre le peuple, comme fait maintenant à Venise le conseil des Dix; et quelquefois à maintenir l'équilibre de part et d'autre, comme faisaient les éphores à Sparte.

Le tribunat n'est point une partie constitutive de la cité, et ne doit avoir aucune portion de la puissance législative ni de l'exécutive: mais c'est en cela même que la sienne est plus grande: car, ne pouvant rien faire, il peut tout empêcher. Il est plus sacré et plus révéré, comme défenseur des lois, que le prince qui les exécute, et que le souverain qui les donne. C'est ce qu'on vit bien clairement à Rome, quand ces fiers patriciens, qui méprisèrent toujours le peuple entier, furent forcés de fléchir devant un simple officier du peuple, qui n'avait ni auspices ni juridiction.

Le tribunat, sagement tempéré, est le plus ferme appui d'une bonne constitution; mais pour peu de force qu'il ait de trop, il renverse tout: à l'égard de la faiblesse, elle n'est pas dans sa nature; et pourvu qu'il soit quelque chose, il n'est jamais moins qu'il ne faut.

Il dégénère en tyrannie quand il usurpe la puissance exécutive, dont il n'est que le modérateur, et qu'il veut dispenser des lois, qu'il ne doit que protéger. L'énorme pouvoir des éphores, qui fut sans danger tant que Sparte conserva ses mœurs, en accéléra la corruption commencée. Le sang d'Agis, égorgé par ces tyrans, fut vengé par son successeur: le crime et le châtiment des éphores hâtèrent également la perte de la république; et après Cléomène, Sparte ne fut plus rien. Rome périt encore par la même voie; et le pouvoir excessif des tribuns, usurpé par décret, servit enfin, à l'aide des lois faites pour la liberté, de sauvegarde aux empereurs qui la détruisirent. Quant au conseil des Dix, à Venise, c'est un tribunal de sang, horrible également aux patriciens et au peuple, et qui, loin de protéger hautement les lois, ne sert plus, après leur avilissement, qu'à porter dans les ténèbres des coups qu'on n'ose apercevoir.

Le tribunat s'affaiblit, comme, le gouvernement, par la multiplication de ses membres. Quand les tribuns du peuple romain, d'abord au nombre de deux, puis de cinq, voulurent doubler ce nombre, le sénat les laissa faire, bien sûr de contenir les uns par les autres, ce qui ne manqua pas d'arriver.

Le meilleur moyen de prévenir les usurpations d'un si redoutable corps, moyen dont nul gouvernement ne s'est avisé jusqu'ici, serait de ne pas rendre ce corps permanent, mais de régler les intervalles durant lesquels il resterait supprimé. Ces intervalles, qui ne doivent pas être assez grands pour laisser aux abus le temps de s'affermir, peuvent être fixés par la loi, de manière qu'il soit aisé de les abréger au besoin par des commissions extraordinaires.

Ce moyen me paraît sans inconvénient, parce que, comme je l'ai dit, le tribunat, ne faisant point partie de la constitution, peut être ôté sans qu'elle en souffre; et il

government, as the tribunes of the people did at Rome; sometimes to uphold the government against the people, as the Council of Ten now does at Venice; and sometimes to maintain the balance between the two, as the Ephors did at Sparta. The tribunate is not a constituent part of the city, and should have no share in either legislative or executive power; but this very fact makes its own power the greater: for, while it can do nothing, it can prevent anything from being done. It is more sacred and more revered, as the defender of the laws, than the prince who executes them, or than the Sovereign which ordains them. This was seen very clearly at Rome, when the proud patricians, for all their scorn of the people, were forced to bow before one of its officers, who had neither auspices nor jurisdiction. The tribunate, wisely tempered, is the strongest support a good constitution can have; but if its strength is ever so little excessive, it upsets the whole State. Weakness, on the other hand, is not natural to it: provided it is something, it is never less than it should be.

It degenerates into tyranny when it usurps the executive power, which it should confine itself to restraining, and when it tries to dispense with the laws, which it should confine itself to protecting. The immense power of the Ephors, harmless as long as Sparta preserved its morality, hastened corruption when once it had begun. The blood of Agis, slaughtered by these tyrants, was avenged by his successor; the crime and the punishment of the Ephors alike hastened the destruction of the republic, and after Cleomenes Sparta ceased to be of any account. Rome perished in the same way: the excessive power of the tribunes, which they had usurped by degrees, finally served, with the help of laws made to secure liberty, as a safeguard for the emperors who destroyed it. As for the Venetian Council of Ten, it is a tribunal of blood, an object of horror to patricians and people alike; and, so far from giving a lofty protection to the laws, it does nothing, now they have become degraded, but strike in the darkness blows of which no one dare take note.

The tribunate, like the government, grows weak as the number of its members increases. When the tribunes of the Roman people, who first numbered only two, and then five, wished to double that number, the senate let them do so, in the confidence that it could use one to check another, as indeed it afterwards freely did.

The best method of preventing usurpations by so formidable a body, though no government has yet made use of it, would be not to make it permanent, but to regulate the periods during which it should remain in abeyance. These intervals, which should not be long enough to give abuses time to grow strong, may be so fixed by law that they can easily be shortened at need by extraordinary commissions.

This method seems to me to have no disadvantages, because, as I have said, the tribunate, which forms no part of the constitution, can be removed without the constitution being affected. It seems to be also efficacious, because a newly restored

me paraît efficace, parce qu'un magistrat nouvellement rétabli ne part point du pouvoir qu'avait son prédécesseur. mais de celui que la loi lui donne.

Chapitre 4.6 De la dictature

L'inflexibilité des lois, qui les empêche de se plier aux événements peut, en certains cas, les rendre pernicieuses et causer par elles la perte de l'État dans sa crise. L'ordre et la lenteur des formes demandent un espace de temps que les circonstances refusent quelquefois. Il peut se présenter mille cas auxquels le législateur n'a point pourvu et c'est une prévoyance très nécessaire de sentir qu'on ne peut tout prévoir. Il ne faut donc pas vouloir affermir les institutions politiques jusqu'à s'ôter le pouvoir d'en suspendre l'effet. Sparte elle-même a laissé dormir ses lois.

Mais il n'y a que les plus grands dangers qui puissent balancer celui d'altérer l'ordre publie, et l'on ne doit jamais arrêter le pouvoir sacré des lois que quand il s'agit du salut de la patrie. Dans ces cas rares et manifestes, on pourvoit à la sûreté publique par un acte particulier qui en remet la charge au plus digne. Cette commission peut se donner de deux manières, selon l'espèce du danger.

Si, pour y remédier, il suffit d'augmenter l'activité du gouvernement, on le concentre dans un ou deux de ses membres: ainsi ce n'est pas l'autorité des lois qu'on altère, mais seulement la forme de leur administration. Que si le péril est tel que l'appareil des lois soit un obstacle à s'en garantir, alors on nomme un chef suprême, qui fasse taire toutes les lois et suspendre un moment l'autorité souveraine. En pareil cas, la volonté générale n'est pas douteuse, et il est évident que la première intention du peuple est que l'État ne périsse pas. De cette manière, la suspension de l'autorité législative ne l'abolit point: le magistrat qui la fait taire ne peut la faire parler; il la domine sans pouvoir la représenter. Il peut tout faire, excepté des lois.

Le premier moyen s'employait par le sénat romain quand il chargeait les consuls par une formule consacrée de pourvoir au salut de la république. Le second avait lieu quand un des deux consuls nommait un dictateur[38]; usage dont Albe avait donné l'exemple à Rome.

Dans les commencements de la république, on eut très souvent recours à la dictature, parce que l'État n'avait pas encore une assiette assez fixe pour pouvoir se soutenir par la seule force de sa constitution.

Les mœurs rendant alors superflues bien des précautions qui eussent été nécessaires magistrate starts not with the power his predecessor exercised, but with that which the law allows him.

---

38 Cette nomination se faisait de nuit et en secret, comme si l'on avait eu honte de mettre un homme au-dessus des lois

The inflexibility of the laws, which prevents them from adapting themselves to circumstances, may, in certain cases, render them disastrous, and make them bring about, at a time of crisis, the ruin of the State. The order and slowness of the forms they enjoin require a space of time which circumstances sometimes withhold. A thousand cases against which the legislator has made no provision may present themselves, and it is a highly necessary part of foresight to be conscious that everything cannot be foreseen. It is wrong therefore to wish to make political institutions so strong as to render it impossible to suspend their operation. Even Sparta allowed its laws to lapse.

However, none but the greatest dangers can counterbalance that of changing the public order, and the sacred power of the laws should never be arrested save when the existence of the country is at stake. In these rare and obvious cases, provision is made for the public security by a particular act entrusting it to him who is most worthy. This commitment may be carried out in either of two ways, according to the nature of the danger.

If increasing the activity of the government is a sufficient remedy, power is concentrated in the hands of one or two of its members: in this case the change is not in the authority of the laws, but only in the form of administering them. If, on the other hand, the peril is of such a kind that the paraphernalia of the laws are an obstacle to their preservation, the method is to nominate a supreme ruler, who shall silence all the laws and suspend for a moment the sovereign authority. In such a case, there is no doubt about the general will, and it is clear that the people's first intention is that the State shall not perish. Thus the suspension of the legislative authority is in no sense its abolition; the magistrate who silences it cannot make it speak; he dominates it, but cannot represent it. He can do anything, except make laws.

The first method was used by the Roman senate when, in a consecrated formula, it charged the consuls to provide for the safety of the Republic. The second was employed when one of the two consuls nominated a dictator:[38] a custom Rome borrowed from Alba.

During the first period of the Republic, recourse was very often had to the dictatorship, because the State had not yet a firm enough basis to be able to maintain itself by the strength of its constitution alone. As the state of morality then made superfluous many of the precautions which would have been necessary

---

38 The nomination was made secretly by night, as if there were something shameful in setting a man above the laws.

dans un autre temps, on ne craignait ni qu'un dictateur abusât de son autorité, ni qu'il tentât de la garder au delà du terme. Il semblait, au contraire, qu'un si grand pouvoir fût à charge à celui qui en était revêtu, tant il se hâtait de s'en défaire, comme si c'eût été un poste trop pénible et périlleux de tenir la place des lois. Aussi n'est-ce pas le danger de l'abus, mais celui de l'avilissement, qui me fait blâmer l'usage indiscret de cette suprême magistrature dans les premiers temps; car tandis qu'on la prodiguait à des élections, à des dédicaces, à des choses de pure formalité, il était à craindre qu'elle ne devînt moins redoutable au besoin, et qu'on ne s'accoutumât à regarder comme un vain titre celui qu'on n'employait qu'à de vaines cérémonies.

Vers la fin de la république, les Romains, devenus plus circonspects, ménagèrent la dictature avec aussi peu de raison qu'ils l'avaient prodiguée autrefois. Il était aisé de voir que leur crainte était mal fondée, que la faiblesse de la capitale faisait alors sa sûreté contre les magistrats qu'elle avait dans son sein; qu'un dictateur pouvait, en certain cas, défendre la liberté publique sans jamais y pouvoir attenter; et que les fers de Rome ne seraient point forgés dans Rome même, mais dans ses armées. Le peu de résistance que firent Marius à Sylla, et Pompée à César, montra bien ce qu'on pouvait attendre de l'autorité du dedans contre la force du dehors.

Cette erreur leur fit faire de grandes fautes; telle, par exemple, fût celle de n'avoir pas nommé un dictateur dans l'affaire de Catilina: car, comme il n'était question que du dedans de la ville et, tout au plus, de quelque province d'Italie, avec l'autorité sans bornes que les lois donnaient au dictateur, il eût facilement dissipé la conjuration, qui ne fut étouffée que par un concours d'heureux hasards que jamais la prudence humaine ne devait attendre.

Au lieu de cela, le sénat se contenta de remettre tout son pouvoir aux consuls, d'où il arriva que Cicéron, pour agir efficacement, fut contraint de passer ce pouvoir dans un point capital et que, si les premiers transports de joie firent approuver sa conduite, ce fut avec justice que, dans la suite, on lui demanda compte du sang des citoyens versé contre les lois, reproche qu'on n'eût pu faire à un dictateur. Mais l'éloquence du consul entraîna tout; et lui-même, quoique Romain, aimant mieux sa gloire que sa patrie, ne cherchait pas tant le moyen le plus légitime et le plus sûr de sauver l'État, que celui d'avoir tout l'honneur de cette affaire[39]. Aussi fut-il honoré justement comme libérateur de Rome, et justement puni comme infracteur des lois. Quelque brillant qu'ait été son rappel, il est certain que ce fut une grâce. Au reste, de quelque manière que cette importante commission soit conférée, il importe d'en fixer la durée à un terme très court, qui jamais ne puisse être prolongé.

---

39 C'est ce dont il ne pouvait se répondre en proposant un dictateur, n'osant se nommer lui-même et ne pouvant s'assurer que son collègue le nommerait.

at other times, there was no fear that a dictator would abuse his authority, or try to keep it beyond his term of office. On the contrary, so much power appeared to be burdensome to him who was clothed with it, and he made all speed to lay it down, as if taking the place of the laws had been too troublesome and too perilous a position to retain.

It is therefore the danger not of its abuse, but of its cheapening, that makes me attack the indiscreet use of this supreme magistracy in the earliest times. For as long as it was freely employed at elections, dedications and purely formal functions, there was danger of its becoming less formidable in time of need, and of men growing accustomed to regarding as empty a title that was used only on occasions of empty ceremonial.

Towards the end of the Republic, the Romans, having grown more circumspect, were as unreasonably sparing in the use of the dictatorship as they had formerly been lavish. It is easy to see that their fears were without foundation, that the weakness of the capital secured it against the magistrates who were in its midst; that a dictator might, in certain cases, defend the public liberty, but could never endanger it; and that the chains of Rome would be forged, not in Rome itself, but in her armies. The weak resistance offered by Marius to Sulla, and by Pompey to Cæsar, clearly showed what was to be expected from authority at home against force from abroad.

This misconception led the Romans to make great mistakes; such, for example, as the failure to nominate a dictator in the Catilinarian conspiracy. For, as only the city itself, with at most some province in Italy, was concerned, the unlimited authority the laws gave to the dictator would have enabled him to make short work of the conspiracy, which was, in fact, stifled only by a combination of lucky chances human prudence had no right to expect.

Instead, the senate contented itself with entrusting its whole power to the consuls, so that Cicero, in order to take effective action, was compelled on a capital point to exceed his powers; and if, in the first transports of joy, his conduct was approved, he was justly called, later on, to account for the blood of citizens spilt in violation of the laws. Such a reproach could never have been levelled at a dictator. But the consul's eloquence carried the day; and he himself, Roman though he was, loved his own glory better than his country, and sought, not so much the most lawful and secure means of saving the State, as to get for himself the whole honour of having done so.[39] He was therefore justly honoured as the liberator of Rome, and also justly punished as a law-breaker. However brilliant his recall may have been, it was undoubtedly an act of pardon.

However this important trust be conferred, it is important that its duration should be fixed at a very brief period, incapable of being ever prolonged. In the crises

---

39 That is what he could not be sure of, if he proposed a dictator; for he dared not nominate himself, and could not be certain that his colleague would nominate him.

Dans les crises qui la font établir, l'État est bientôt détruit ou sauvé; et, passé le besoin pressant la dictature devient tyrannique ou vaine. À Rome, les dictateurs ne l'étant que pour six mois, la plupart abdiquèrent avant ce terme. Si le terme eût été plus long, peut-être eussent-ils été tentés de le prolonger encore, comme tirent les décemvirs de celui d'une année. Le dictateur n'avait que le temps de pourvoir au besoin qui l'avait fait élire: il n'avait pas celui de songer à d'autres projets.

Chapitre 4.7 De la censure

De même que la déclaration de la volonté générale se fait par la loi, la déclaration du jugement public se fait par la censure. L'opinion publique est l'espèce de loi dont le censeur est le ministre, et qu'il ne fait qu'appliquer aux cas particuliers à l'exemple du prince.

Loin donc que le tribunal censorial soit l'arbitre de l'opinion du peuple, il n'en est que le déclarateur et, sitôt qu'il s'en écarte, ses décisions sont vaines et sans effet.

Il est inutile de distinguer les mœurs d'une nation des objets de son estime; car tout cela tient au même principe et se confond nécessairement. Chez tous les peuples du monde, ce n'est point la nature, mais l'opinion, qui décide du choix de leurs plaisirs. Redressez les opinions des hommes, et leurs mœurs s'épureront d'elles-mêmes. On aime toujours ce qui est beau ou ce qu'on trouve tel; mais c'est sur ce jugement qu'on se trompe; c'est donc ce jugement qu'il s'agit de, régler.

Qui juge des mœurs juge de l'honneur; et qui juge de l'honneur prend sa loi de l'opinion.

Les opinions d'un peuple naissent de sa constitution. Quoique la loi ne règle pas les mœurs, c'est la législation qui les fait naître: quand la législation s'affaiblit, les mœurs dégénèrent: mais alors le jugement des censeurs ne fera pas ce que la force des lois n'aura pas fait.

Il suit de là que la censure peut être utile pour conserver les mœurs, jamais pour les rétablir. Établissez des censeurs durant la vigueur des lois; sitôt qu'elles l'ont perdue, tout est désespéré; rien de légitime n'a plus de force lorsque les rois n'en ont plus.

La censure maintient les mœurs en empêchant les opinions de se corrompre, en conservant leur droiture par de sages applications, quelquefois même en les fixant lorsqu'elles sont encore incertaines. L'usage des seconds dans les duels, porté jusqu'à la fureur dans le royaume de France, y fut aboli par ces seuls mots d'un édit du roi: "Quant à ceux qui ont la lâcheté d'appeler des seconds." Ce jugement, prévenant celui du publie, le détermina tout d'un coup. Mais quand les mêmes édits voulurent prononcer que C'était aussi une lâcheté de se battre en duel, ce qui est très vrai, mais contraire à l'opinion commune, le publie se moqua de cette décision, sur laquelle son jugement était déjà porté.

which lead to its adoption, the State is either soon lost, or soon saved; and, the present need passed, the dictatorship becomes either tyrannical or idle. At Rome, where dictators held office for six months only, most of them abdicated before their time was up. If their term had been longer, they might well have tried to prolong it still further, as the decemvirs did when chosen for a year. The dictator had only time to provide against the need that had caused him to be chosen; he had none to think of further projects.

Chapter 4.7 The Censorship

As the law is the declaration of the general will, the censorship is the declaration of the public judgment: public opinion is the form of law which the censor administers, and, like the prince, only applies to particular cases.

The censorial tribunal, so far from being the arbiter of the people's opinion, only declares it, and, as soon as the two part company, its decisions are null and void. It is useless to distinguish the morality of a nation from the objects of its esteem; both depend on the same principle and are necessarily indistinguishable. There is no people on earth the choice of whose pleasures is not decided by opinion rather than nature. Right men's opinions, and their morality will purge itself. Men always love what is good or what they find good; it is in judging what is good that they go wrong. This judgment, therefore, is what must be regulated. He who judges of morality judges of honour; and he who judges of honour finds his law in opinion. The opinions of a people are derived from its constitution; although the law does not regulate morality, it is legislation that gives it birth. When legislation grows weak, morality degenerates; but in such cases the judgment of the censors will not do what the force of the laws has failed to effect.

From this it follows that the censorship may be useful for the preservation of morality, but can never be so for its restoration. Set up censors while the laws are vigorous; as soon as they have lost their vigour, all hope is gone; no legitimate power can retain force when the laws have lost it.

The censorship upholds morality by preventing opinion from growing corrupt, by preserving its rectitude by means of wise applications, and sometimes even by fixing it when it is still uncertain. The employment of seconds in duels, which had been carried to wild extremes in the kingdom of France, was done away with merely by these words in a royal edict: "As for those who are cowards enough to call upon seconds." This judgment, in anticipating that of the public, suddenly decided it. But when edicts from the same source tried to pronounce duelling itself an act of cowardice, as indeed it is, then, since common opinion does not regard it as such, the public took no notice of a decision on a point on which its mind was already made up.

J'ai dit ailleurs[40] que l'opinion publique n'étant point soumise à la contrainte, il n'en fallait aucun vestige dans le tribunal établi pour la représenter. On ne peut trop admirer avec quel art ce ressort, entièrement perdu chez les modernes, était mis en ouvre chez les Romains, et mieux chez les Lacédémoniens.

Un homme de mauvaises mœurs ayant ouvert un bon avis dans le conseil de Sparte, les éphores, sans en tenir compte, firent proposer le même avis par un citoyen vertueux. Quel honneur pour l'un quelle note pour l'autre, sans avoir 'donné ni louange ni blâme à aucun des deux! Certains ivrognes de Samos[41] souillèrent le tribunal des éphores: le lendemain, par édit publie, il fut permis aux Samiens d'être des vilains. Un vrai châtiment eût été moins sévère qu'une pareille impunité. Quand Sparte a prononcé sur ce qui est ou n'est pas honnête, la Grèce n'appelle pas de ses jugements.

Chapitre 4.8 De la religion civile

Les hommes n'eurent point d'abord d'autres rois que les dieux, ni d'autre gouvernement que le théocratique. Ils firent le raisonnement de Caligula; et alors ils raisonnaient juste. Il faut une longue altération de sentiments et d'idées pour qu'on puisse se résoudre à prendre son semblable pour maître, et se flatter qu'on s'en trouvera bien.

De cela seul qu'on mettrait Dieu à la tête de chaque société politique, il s'ensuivit qu'il y eut autant de dieux que de peuples. Deux peuples étrangers l'un à l'autre, et presque toujours ennemis, ne purent longtemps reconnaître un même maître: deux armées se livrant bataille ne sauraient obéir au même chef. Ainsi des divisions nationales résulta le polythéisme, et de là l'intolérance théologique et civile, qui naturellement est la même, comme il sera dit ci-après.

La fantaisie qu'eurent: les Grecs de retrouver leurs dieux chez les peuples barbares, vint de celle qu'ils avaient aussi de se regarder comme les souverains naturels de ces peuples. Mais c'est de nos jours une érudition bien ridicule que celle qui roule sur l'identité des dieux de diverses nations: comme si Moloch, Saturne et Chronos pouvaient être le même dieu! comme si le Baal des Phéniciens, le Zeus des Grecs et le Jupiter des Latins pouvaient être le même! comme s'il pouvait rester quelque chose commune à des êtres chimériques portant des noms différents!

Que si l'on demande comment dans le paganisme, où chaque État avait son culte et ses dieux, il n'y avait point de guerres de religion; je réponds que c'était par cela même que chaque État, ayant son culte propre aussi bien que son gouvernement, ne distinguait point ses dieux de ses lois. La guerre politique était aussi théologique; les départements des dieux étaient pour ainsi dire fixés par les bornes

---

40 Je ne fais qu'indiquer dans ce chapitre ce que j'ai traité plus au long dans la *Lettre à M. d'Alembert*.
41 Edition de 1782: "Ils étaient d'une autre île (Chio) que la délicatesse de notre langue défend de nommer dans cette occasion."

I have stated elsewhere[40] that as public opinion is not subject to any constraint, there need be no trace of it in the tribunal set up to represent it. It is impossible to admire too much the art with which this resource, which we moderns have wholly lost, was employed by the Romans, and still more by the Lacedæmonians.

A man of bad morals having made a good proposal in the Spartan Council, the Ephors neglected it, and caused the same proposal to be made by a virtuous citizen. What an honour for the one, and what a disgrace for the other, without praise or blame of either! Certain drunkards from Samos[41] polluted the tribunal of the Ephors: the next day, a public edict gave Samians permission to be filthy. An actual punishment would not have been so severe as such an impunity. When Sparta has pronounced on what is or is not right, Greece makes no appeal from her judgments.

Chapter 4.8 Civil Religion

At first men had no kings save the gods, and no government save theocracy. They reasoned like Caligula, and, at that period, reasoned aright. It takes a long time for feeling so to change that men can make up their minds to take their equals as masters, in the hope that they will profit by doing so.

From the mere fact that God was set over every political society, it followed that there were as many gods as peoples. Two peoples that were strangers the one to the other, and almost always enemies, could not long recognise the same master: two armies giving battle could not obey the same leader. National divisions thus led to polytheism, and this in turn gave rise to theological and civil intolerance, which, as we shall see hereafter, are by nature the same.

The fancy the Greeks had for rediscovering their gods among the barbarians arose from the way they had of regarding themselves as the natural Sovereigns of such peoples. But there is nothing so absurd as the erudition which in our days identifies and confuses gods of different nations. As if Moloch, Saturn, and Chronos could be the same god! As if the Phoenician Baal, the Greek Zeus, and the Latin Jupiter could be the same! As if there could still be anything common to imaginary beings with different names!

If it is asked how in pagan times, where each State had its cult and its gods, there were no wars of religion, I answer that it was precisely because each State, having its own cult as well as its own government, made no distinction between its gods and its laws. Political war was also theological; the provinces of the gods were, so to

---

40 I merely call attention in this chapter to a subject with which I have dealt at greater length in my *Letter to M. d'Alembert*.

41 1782 edition: They were from another island, which the delicacy of our language forbids me to name on this occasion.

des nations. Le dieu d'un peuple n'avait aucun droit sur les autres peuples. Les dieux des païens n'étaient point des dieux Jaloux; ils partageaient entre eux l'empire du monde: Moïse même et le peuple hébreu se prêtaient quelquefois à cette idée en parlant du Dieu d'Israël. Ils regardaient, il est vrai, comme nuls les dieux des Cananéen, peuples proscrits, voués à la destruction, et dont ils devaient occuper la place; mais voyez comment ils parlaient des divinités des peuples voisins qu'il leur était défendu d'attaquer: "La possession de ce qui appartient à Chamos, votre dieu, disait Jephté aux Ammonites, ne vous est-elle pas légitimement due? Nous possédons au même titre les terres que notre Dieu vainqueur s'est acquises."[42] C'était là, ce me semble, une parité bien reconnue entre les droits de Chamos et ceux du Dieu d'Israël.

Mais quand les Juifs soumis aux rois de Babylone, et dans la suite aux rois de Syrie, voulurent s'obstiner à ne reconnaître aucun autre Dieu que le leur, ce refus, regardé comme une rébellion contre le vainqueur, leur attira les persécutions qu'on lit dans leur histoire, et dont on ne voit aucun autre exemple avant le christianisme[43].

Chaque religion étant donc uniquement attachée aux lois de l'État qui la prescrivait, il n'y avait point d'autre manière de convertir un peuple que de l'asservir, ni d'autres missionnaires que les conquérants; et l'obligation de changer de culte étant la loi des vaincus, il fallait commencer par vaincre avant d'en parler. Loin que les hommes combattissent pour les dieux, c'étaient, comme dans Homère, les dieux qui combattaient pour les hommes; chacun demandait au sien la victoire, et la payait par de nouveaux autels. Les Romains, avant de prendre une place, sommaient ses dieux de l'abandonner; et quand ils laissaient aux Tarentins leurs dieux irrités, c'est qu'ils regardaient alors ces dieux comme soumis aux leurs et forcés de leur faire hommage. Es laissaient aux vaincus leurs dieux comme ils leur laissaient leurs lois. Une couronne -au Jupiter du Capitole était souvent le seul tribut qu'ils imposaient.

Enfin les Romains ayant étendu avec leur empire leur culte et leurs dieux, et ayant souvent eux-mêmes adopté ceux des vaincus, en accordant aux uns et aux autres le droit de cité, des peuples de ce vaste empire se trouvèrent insensiblement avoir des multitudes de dieux et de cultes, à peu près les mêmes partout: et voilà comment le paganisme ne fut enfin dans le monde connu qu'une seule et même religion.

Ce fut dans ces circonstances que Jésus vint établir sur la terre un royaume spirituel, ce qui, séparant le système théologique du système politique, fit que

---

42 *Nonne ea quae possidet Chamos deus tuus tibi jure debentur?* Tel est le texte de la Vulgate. Le Père de Carrières a traduit *Ne croyez-vous pas avoir droit de posséder ce qui appartient à Chamos votre Dieu?* J'ignore la force du texte hébreu; mais je vois que dans la Vulgate Jephté reconnaît positivement le droit du dieu Chamos, et que le traducteur français affaiblit cette reconnaissance par un *selon vous* qui n'est pas dans le latin.

43 Il est de la dernière évidence que la guerre des Phociens appelée guerre sacrée n'était point une guerre de religion. Elle avait pour objet de punir des sacrilèges et non de soumettre des mécréants.

speak, fixed by the boundaries of nations. The god of one people had no right over another. The gods of the pagans were not jealous gods; they shared among themselves the empire of the world: even Moses and the Hebrews sometimes lent themselves to this view by speaking of the God of Israel. It is true, they regarded as powerless the gods of the Canaanites, a proscribed people condemned to destruction, whose place they were to take; but remember how they spoke of the divisions of the neighbouring peoples they were forbidden to attack! "Is not the possession of what belongs to your god Chamos lawfully your due?" said Jephthah to the Ammonites. "We have the same title to the lands our conquering God has made his own."[42] Here, I think, there is a recognition that the rights of Chamos and those of the God of Israel are of the same nature.

But when the Jews, being subject to the Kings of Babylon, and, subsequently, to those of Syria, still obstinately refused to recognise any god save their own, their refusal was regarded as rebellion against their conqueror, and drew down on them the persecutions we read of in their history, which are without parallel till the coming of Christianity.[43]

Every religion, therefore, being attached solely to the laws of the State which prescribed it, there was no way of converting a people except by enslaving it, and there could be no missionaries save conquerors. The obligation to change cults being the law to which the vanquished yielded, it was necessary to be victorious before suggesting such a change. So far from men fighting for the gods, the gods, as in Homer, fought for men; each asked his god for victory, and repaid him with new altars. The Romans, before taking a city, summoned its gods to quit it; and, in leaving the Tarentines their outraged gods, they regarded them as subject to their own and compelled to do them homage. They left the vanquished their gods as they left them their laws. A wreath to the Jupiter of the Capitol was often the only tribute they imposed.

Finally, when, along with their empire, the Romans had spread their cult and their gods, and had themselves often adopted those of the vanquished, by granting to both alike the rights of the city, the peoples of that vast empire insensibly found themselves with multitudes of gods and cults, everywhere almost the same; and thus paganism throughout the known world finally came to be one and the same religion.

It was in these circumstances that Jesus came to set up on earth a spiritual kingdom, which, by separating the theological from the political system, made the

---

42 *Nonne ea quœ possidet Chamos deus tuus, tibi jure debentur?* (Judges, 11:24.) Such is the text in the Vulgate. Father de Carrières translates: "Do you not regard yourselves as having a right to what your god possesses?" I do not know the force of the Hebrew text: but I perceive that, in the Vulgate, Jephthah positively recognises the right of the god Chamos, and that the French translator weakened this admission by inserting an "according to you," which is not in the Latin.

43 It is quite clear that the Phocian War, which was called "the Sacred War," was not a war of religion. Its object was the punishment of acts of sacrilege, and not the conquest of unbelievers.

l'État cessa d'être un, et causa les divisions intestines qui n'ont jamais cessé d'agiter les peuples chrétiens. or, cette idée nouvelle d'un royaume de l'autre monde n'ayant pu jamais entrer dans la tête des païens, ils regardèrent toujours les chrétiens comme de vrais rebelles qui, sous une hypocrite soumission, ne cherchaient que le moment de se rendre indépendants et maîtres, et d'usurper adroitement l'autorité qu'ils feignaient de respecter dans leur faiblesse. Telle fut la cause des persécutions.

Ce que les païens avaient craint est arrivé. Alors tout a changé de face; les humbles chrétiens ont changé de langage, et bientôt on a vu ce prétendu royaume de l'autre monde devenir, sous un chef visible, le plus violent despotisme dans celui-ci.

Cependant, comme il y a toujours eu un prince et des lois civiles, il a résulté de cette double puissance un perpétuel conflit de juridiction qui a rendu toute bonne politie impossible dans les États chrétiens; et l'on n'a jamais pu venir à bout de savoir auquel du maître ou du prêtre on était obligé d'obéir.

Plusieurs peuples cependant, même dans l'Europe ou à son voisinage, ont voulu conserver ou rétablir l'ancien système, mais sans succès; l'esprit du christianisme a tout gagné. Le culte sacré est toujours resté ou redevenu indépendant du souverain, et sans liaison nécessaire avec le corps de l'État. Mahomet eut des vues très saines, il. lia bien son système politique; et, tant que la forme de son gouvernement subsista sous les califes ses successeurs, ce gouvernement fut exactement un, et bon en cela. Mais les Arabes, devenus florissants, lettrés, polis, mous et lâches, furent subjugués par des barbares: alors la division entre les deux puissances recommença. Quoiqu'elle soit moins apparente chez les mahométans que chez les chrétiens, elle y est pourtant, surtout dans la secte d'Ali; et il y a des États, tels que la Perse, où elle ne cesse de se faire sentir.

Parmi nous, les rois d'Angleterre se sont établis chefs de l'Église; autant en ont fait les czars -mais, par ce titre, ils s'en sont moins rendus les maîtres que les ministres; ils ont moins acquis le droit de la changer que le pouvoir de la maintenir, ils n'y sont pas législateurs, ils ne sont que princes. Partout où le clergé fait un corps[44], il est maître et législateur dans sa patrie. Il y a donc deux puissances, deux souverains, en Angleterre et en Russie, tout comme ailleurs.

De tous les auteurs chrétiens, le philosophe Hobbes est le seul qui ait bien vu le mal et le remède, qui ait osé proposer de réunir les deux têtes de l'aigle, et de tout ramener à l'unité politique, sans laquelle jamais État ni gouvernement ne sera bien

---

44 Il faut bien remarquer que ce ne sont pas tant des assemblées formelles, comme celles de France, qui lient le clergé en un corps, que la communion des Eglises. La communion et l'excommunication sont le pacte social du clergé, pacte avec lequel il sera toujours le maître des peuples et des rois. Tous les prêtres qui communiquent ensemble sont concitoyens, fussent-ils des deux bouts du monde. Cette invention est un chef-d'oeuvre en politique. Il n'y avait rien de semblable parmi les prêtres païens; aussi n'ont-ils jamais fait un corps de clergé.

State no longer one, and brought about the internal divisions which have never ceased to trouble Christian peoples. As the new idea of a kingdom of the other world could never have occurred to pagans, they always looked on the Christians as really rebels, who, while feigning to submit, were only waiting for the chance to make themselves independent and their masters, and to usurp by guile the authority they pretended in their weakness to respect. This was the cause of the persecutions.

What the pagans had feared took place. Then everything changed its aspect: the humble Christians changed their language, and soon this so-called kingdom of the other world turned, under a visible leader, into the most violent of earthly despotisms.

However, as there have always been a prince and civil laws, this double power and conflict of jurisdiction have made all good polity impossible in Christian States; and men have never succeeded in finding out whether they were bound to obey the master or the priest.

Several peoples, however, even in Europe and its neighbourhood, have desired without success to preserve or restore the old system: but the spirit of Christianity has everywhere prevailed. The sacred cult has always remained or again become independent of the Sovereign, and there has been no necessary link between it and the body of the State. Mahomet held very sane views, and linked his political system well together; and, as long as the form of his government continued under the caliphs who succeeded him, that government was indeed one, and so far good. But the Arabs, having grown prosperous, lettered, civilised, slack and cowardly, were conquered by barbarians: the division between the two powers began again; and, although it is less apparent among the Mahometans than among the Christians, it none the less exists, especially in the sect of Ali, and there are States, such as Persia, where it is continually making itself felt.

Among us, the Kings of England have made themselves heads of the Church, and the Czars have done the same: but this title has made them less its masters than its ministers; they have gained not so much the right to change it, as the power to maintain it: they are not its legislators, but only its princes. Wherever the clergy is a corporate body,[44] it is master and legislator in its own country. There are thus two powers, two Sovereigns, in England and in Russia, as well as elsewhere.

Of all Christian writers, the philosopher Hobbes alone has seen the evil and how to remedy it, and has dared to propose the reunion of the two heads of the eagle, and the restoration throughout of political unity, without which no State or

---

44 It should be noted that the clergy find their bond of union not so much in formal assemblies, as in the communion of Churches. Communion and excommunication are the social compact of the clergy, a compact which will always make them masters of peoples and kings. All priests who communicate together are fellow-citizens, even if they come from opposite ends of the earth. This invention is a masterpiece of statesmanship: there is nothing like it among pagan priests; who have therefore never formed a clerical corporate body.

constitué. Mais il a dû voir que l'esprit dominateur du christianisme était incompatible avec son système, et que l'intérêt du prêtre serait toujours plus fort que celui de l'État. Ce n'est pas tant ce qu'il y a d'horrible et de faux dans sa politique, que ce qu'il y a de juste et de vrai, qui l'a rendue odieuse[45].

Je crois qu'en développant sous ce point de vue les faits historiques, on réfuterait aisément les sentiments opposés de Bayle, et de Warburton, dont l'un prétend que nulle religion n'est utile au corps politique, et dont l'autre soutient, au contraire, que le christianisme en est le plus ferme appui. On prouverait au premier que jamais État ne fut fondé que la religion ne lui servît de base; et au second, que la loi chrétienne est au fond plus nuisible qu'utile à la forte constitution de l'État.

Pour achever de me faire entendre, il ne faut que donner un peu plus de précision aux idées trop vagues de religion relatives à mon sujet.

La religion, considérée par rapport à la société, qui est ou générale ou particulière, peut aussi se diviser en deux espèces: savoir, la religion de l'homme, et celle du citoyen. La première, sans temples, sans autels, sans rites, bornée au culte purement intérieur du Dieu suprême et aux devoirs éternels de la morale, est la pure et simple religion de l'Évangile, le vrai théisme, et ce qu'on peut appeler le droit divin naturel. L'autre, inscrite dans un seul pays, lui donne ses dieux, ses patrons propres et tutélaires. Elle a ses dogmes, ses rites, son culte extérieur prescrit par des lois: hors la seule nation qui la suit, tout est pour elle infidèle, étranger, barbare; elle n'étend les devoirs et les droits de l'homme qu'aussi loin que ses autels. Telles furent toutes les religions des premiers peuples, auxquelles on peut donner le nom de droit divin civil ou positif.

Il y a une troisième sorte de religion plus bizarre, qui, donnant aux hommes deux législations, deux chefs, deux patries, les soumet à des devoirs contradictoires, et les empêche de pouvoir être à la fois dévots et citoyens. Telle est la religion des Lamas, telle est celle des Japonais, tel est le christianisme romain. On peut appeler celui-là religion du prêtre. Il en résulte une sorte de droit mixte et insociable qui n'a point de nom.

A considérer politiquement ces trois sortes de religions, elles ont toutes leurs défauts. La première est si évidemment mauvaise, que c'est perdre le temps de s'amuser à le démontrer. Tout ce qui rompt l'unité sociale ne vaut rien; toutes les institutions qui mettent l'homme en contradiction avec lui-même ne valent rien.

La seconde est bonne en ce qu'elle réunit le culte divin et l'amour des lois, et que, faisant de la patrie l'objet de l'adoration des citoyens, elle leur apprend que servir l'État, c'est en servir le dieu tutélaire. C'est une espèce de théocratie. dans laquelle

---

45 Voyez entre autres dans une lettre de Grotius à son frère du 11 avril 1643 ce que ce savant homme approuve et ce qu'il blâme dans le livre *de Cive*. Il est vrai que, porté à l'indulgence, il paraît pardonner à l'auteur le bien en faveur du mal, mais tout le monde n'est pas si clément.

government will ever be rightly constituted. But he should have seen that the masterful spirit of Christianity is incompatible with his system, and that the priestly interest would always be stronger than that of the State. It is not so much what is false and terrible in his political theory, as what is just and true, that has drawn down hatred on it.[45]

I believe that if the study of history were developed from this point of view, it would be easy to refute the contrary opinions of Bayle and Warburton, one of whom holds that religion can be of no use to the body politic, while the other, on the contrary, maintains that Christianity is its strongest support. We should demonstrate to the former that no State has ever been founded without a religious basis, and to the latter, that the law of Christianity at bottom does more harm by weakening than good by strengthening the constitution of the State. To make myself understood, I have only to make a little more exact the too vague ideas of religion as relating to this subject.

Religion, considered in relation to society, which is either general or particular, may also be divided into two kinds: the religion of man, and that of the citizen. The first, which has neither temples, nor altars, nor rites, and is confined to the purely internal cult of the supreme God and the eternal obligations of morality, is the religion of the Gospel pure and simple, the true theism, what may be called natural divine right or law. The other, which is codified in a single country, gives it its gods, its own tutelary patrons; it has its dogmas, its rites, and its external cult prescribed by law; outside the single nation that follows it, all the world is in its sight infidel, foreign and barbarous; the duties and rights of man extend for it only as far as its own altars. Of this kind were all the religions of early peoples, which we may define as civil or positive divine right or law.

There is a third sort of religion of a more singular kind, which gives men two codes of legislation, two rulers, and two countries, renders them subject to contradictory duties, and makes it impossible for them to be faithful both to religion and to citizenship. Such are the religions of the Lamas and of the Japanese, and such is Roman Christianity, which may be called the religion of the priest. It leads to a sort of mixed and anti-social code which has no name.

In their political aspect, all these three kinds of religion have their defects. The third is so clearly bad, that it is waste of time to stop to prove it such. All that destroys social unity is worthless; all institutions that set man in contradiction to himself are worthless.

The second is good in that it unites the divine cult with love of the laws, and, making country the object of the citizens' adoration, teaches them that service done to the State is service done to its tutelary god. It is a form of theocracy, in

45 See, for instance, in a letter from Grotius to his brother (April 11, 1643), what that learned man found to praise and to blame in the De Cive. It is true that, with a bent for indulgence, he seems to pardon the writer the good for the sake of the bad; but all men are not so forgiving.

on ne doit point avoir d'autre pontife que le prince, ni d'autres prêtres que les magistrats. Alors mourir pour son pays, c'est aller au martyre; violer les lois, c'est être impie; et soumettre un coupable à l'exécration publique, c'est le dévouer au courroux des dieux: Sacer esto.

Mais elle est mauvaise en ce qu'étant fondée sur l'erreur et sur le mensonge, elle trompe les hommes, les rend crédules, superstitieux, et noie le vrai culte de la Divinité dans un vain cérémonial. Eue est mauvaise encore, quand, devenant exclusive et tyrannique, elle rend un peuple sanguinaire et intolérant, en sorte qu'il ne respire que meurtre et massacre, et croit faire une action sainte en tuant quiconque n'admet pas ses dieux. Cela met un tel peuple dans un état naturel de guerre avec tous les autres, très nuisible à sa propre sûreté.

Reste donc la religion de l'homme ou le christianisme, non pas celui d'aujourd'hui, mais celui de l'Évangile, qui en est tout à fait différent. Par cette religion sainte, sublime, véritable, les hommes, enfants du même Dieu, se reconnaissaient tous pour frères, et la société qui les unit ne se dissout pas même à la mort.

Mais cette religion, n'ayant nulle relation particulière avec le corps politique, laisse aux lois la seule force qu'elles tirent d'elles-mêmes sans leur en ajouter aucune autre; et par là, un des grands liens de la société particulière reste sans effet. Bien plus, loin d'attacher les cœurs des citoyens à l'État, elle les en détache comme de toutes les choses de la terre. Je ne connais rien de plus contraire à l'esprit social. On nous dit qu'un peuple de vrais chrétiens formerait la plus parfaite société que l'on puisse imaginer. Je ne vois à cette supposition qu'une grande difficulté: c'est qu'une société de vrais chrétiens ne serait plus une société d'hommes.

Je dis même que cette société supposée ne serait, avec toute sa perfection, ni la plus forte ni la plus durable; à force d'être parfaite, elle manquerait de liaison; son vice destructeur serait dans sa perfection même.

Chacun remplirait son devoir; le peuple serait soumis aux lois, les chefs seraient justes et modérés, les magistrats intègres, incorruptibles; les soldats mépriseraient la mort; il n'y aurait ni vanité ni luxe; tout cela est fort bien; mais voyons plus loin. Le christianisme est une religion toute spirituelle, occupée uniquement des choses du ciel; la patrie du chrétien n'est pas de ce monde. Il fait son devoir, il est vrai, mais il le fait avec une profonde indifférence sur le bon ou mauvais succès de ses soins. Pourvu qu'il n'ait rien à se reprocher, peu lui importe que tout aille bien ou mal ici-bas. Si l'État est florissant, à peine ose-t-il jouir de la félicité publique; il craint de s'enorgueillir de la gloire de son pays: si l'État dépérit, il bénit la main de Dieu qui s'appesantit sur son peuple.

Pour que la société fût paisible et que l'harmonie se maintînt, il faudrait que tous les citoyens sans exception fussent également bons chrétiens: mais si malheureusement il s'y trouve un seul ambitieux, un seul hypocrite, un Catilina, par exemple, un Cromwell, celui-là très certainement aura bon marché de ses pieux

which there can be no pontiff save the prince, and no priests save the magistrates. To die for one's country then becomes martyrdom; violation of its laws, impiety; and to subject one who is guilty to public execration is to condemn him to the anger of the gods: Sacer esto.

On the other hand, it is bad in that, being founded on lies and error, it deceives men, makes them credulous and superstitious, and drowns the true cult of the Divinity in empty ceremonial. It is bad, again, when it becomes tyrannous and exclusive, and makes a people bloodthirsty and intolerant, so that it breathes fire and slaughter, and regards as a sacred act the killing of every one who does not believe in its gods. The result is to place such a people in a natural state of war with all others, so that its security is deeply endangered.

There remains therefore the religion of man or Christianity — not the Christianity of to-day, but that of the Gospel, which is entirely different. By means of this holy, sublime, and real religion all men, being children of one God, recognise one another as brothers, and the society that unites them is not dissolved even at death. But this religion, having no particular relation to the body politic, leaves the laws in possession of the force they have in themselves without making any addition to it; and thus one of the great bonds that unite society considered in severally fails to operate. Nay, more, so far from binding the hearts of the citizens to the State, it has the effect of taking them away from all earthly things. I know of nothing more contrary to the social spirit.

We are told that a people of true Christians would form the most perfect society imaginable. I see in this supposition only one great difficulty: that a society of true Christians would not be a society of men.

I say further that such a society, with all its perfection, would be neither the strongest nor the most lasting: the very fact that it was perfect would rob it of its bond of union; the flaw that would destroy it would lie in its very perfection. Every one would do his duty; the people would be law-abiding, the rulers just and temperate; the magistrates upright and incorruptible; the soldiers would scorn death; there would be neither vanity nor luxury. So far, so good; but let us hear more.

Christianity as a religion is entirely spiritual, occupied solely with heavenly things; the country of the Christian is not of this world. He does his duty, indeed, but does it with profound indifference to the good or ill success of his cares. Provided he has nothing to reproach himself with, it matters little to him whether things go well or ill here on earth. If the State is prosperous, he hardly dares to share in the public happiness, for fear he may grow proud of his country's glory; if the State is languishing, he blesses the hand of God that is hard upon His people.

For the State to be peaceable and for harmony to be maintained, all the citizens without exception would have to be good Christians; if by ill hap there should be a single self-seeker or hypocrite, a Catiline or a Cromwell, for instance, he would

compatriotes. La charité chrétienne ne permet pas aisément de penser mal de son prochain. Dès qu'il aura trouvé par quelque ruse l'art de leur en imposer et de s'emparer d'une partie de l'autorité publique, voilà un homme constitué en dignité; Dieu veut qu'on le respecte: bientôt voilà une puissance; Dieu veut qu'on lui obéisse. Le dépositaire de cette puissance en abuse-t-il, c'est la verge dont Dieu punit ses enfants. On se ferait conscience de chasser l'usurpateur: il faudrait, troubler le repos public, user, de violence, verser du sang: tout cela s'accorde mal avec la douceur du chrétien, et après tout, qu'importe qu'on soit libre ou serf dans cette vallée de misères? L'essentiel est d'aller en paradis, et la résignation n'est qu'un moyen de plus pour cela.

Survient-il quelque guerre étrangère, les citoyens marchent sans peine au combat; nul d'entre eux ne songe à fuir; ils font leur devoir, mais sans passion pour la victoire; ils savent plutôt mourir que vaincre. Qu'ils soient vainqueurs ou vaincus, qu'importe? La Providence ne sait-elle pas mieux qu'eux ce qu'il leur faut? Qu'on imagine quel parti un ennemi fier, impétueux, passionné, peut tirer de leur stoïcisme! Mettez vis-à-vis d'eux ces peuples généreux que dévorait l'ardent amour de la gloire et de la patrie, supposez votre république chrétienne vis-à-vis de Sparte ou de Rome: les pieux chrétiens seront battus, écrasés, détruits, avant d'avoir eu le temps de se reconnaître, ou ne devront leur salut qu'au mépris que leur ennemi concevra pour eux. C'était un beau serment à mon gré que celui des soldats de Fabius; ils ne jurèrent pas de mourir ou de vaincre, ils jurèrent de revenir vainqueurs, et tinrent leur serment. Jamais des chrétiens n'en eussent fait un pareil; ils auraient cru tenter Dieu.

Mais je me trompe en disant une république chrétienne; chacun de ces deux mots exclut l'autre. Le christianisme ne prêche que servitude et dépendance. Son esprit est trop favorable à la tyrannie pour qu'elle n'en profite pas toujours. Les vrais chrétiens sont faits pour être esclaves, ils le savent et ne s'en émeuvent guère; cette courte vie a trop peu de prix à leurs yeux.

Les troupes chrétiennes sont excellentes, nous dit on. Je le nie, qu'on m'en montre de telles. Quant à moi, je ne connais point de troupes chrétiennes. On me citera les croisades. Sans disputer sur la valeur des croisés, je remarquerai que, bien loin d'être des chrétiens, c'étaient des soldats du prêtre, c'étaient des citoyens de l'Église: ils se battaient pour son pays spirituel, qu'elle avait rendu temporel on ne sait comment. À le bien prendre, ceci rentre sous le paganisme: comme l'Évangile n'établit point une religion nationale, toute guerre sacrée est impossible parmi les chrétiens.

Sous les empereurs païens, les soldats chrétiens étaient braves; tous les auteurs chrétiens l'assurent, et je le crois: C'était une émulation d'honneur contre les troupes païennes. Dès que les empereurs furent chrétiens, cette émulation ne subsista plus; et, quand la croix eut chassé l'aigle, toute la valeur romaine disparut. Mais, laissant à part les considérations politiques, revenons au droit, et fixons les

172

certainly get the better of his pious compatriots. Christian charity does not readily allow a man to think hardly of his neighbours. As soon as, by some trick, he has discovered the art of imposing on them and getting hold of a share in the public authority, you have a man established in dignity; it is the will of God that he be respected: very soon you have a power; it is God's will that it be obeyed: and if the power is abused by him who wields it, it is the scourge wherewith God punishes His children. There would be scruples about driving out the usurper: public tranquillity would have to be disturbed, violence would have to be employed, and blood spilt; all this accords ill with Christian meekness; and after all, in this vale of sorrows, what does it matter whether we are free men or serfs? The essential thing is to get to heaven, and resignation is only an additional means of doing so.

If war breaks out with another State, the citizens march readily out to battle; not one of them thinks of flight; they do their duty, but they have no passion for victory; they know better how to die than how to conquer. What does it matter whether they win or lose? Does not Providence know better than they what is meet for them? Only think to what account a proud, impetuous and passionate enemy could turn their stoicism! Set over against them those generous peoples who were devoured by ardent love of glory and of their country, imagine your Christian republic face to face with Sparta or Rome: the pious Christians will be beaten, crushed and destroyed, before they know where they are, or will owe their safety only to the contempt their enemy will conceive for them. It was to my mind a fine oath that was taken by the soldiers of Fabius, who swore, not to conquer or die, but to come back victorious — and kept their oath. Christians would never have taken such an oath; they would have looked on it as tempting God.

But I am mistaken in speaking of a Christian republic; the terms are mutually exclusive. Christianity preaches only servitude and dependence. Its spirit is so favourable to tyranny that it always profits by such a régime. True Christians are made to be slaves, and they know it and do not much mind: this short life counts for too little in their eyes.

I shall be told that Christian troops are excellent. I deny it. Show me an instance. For my part, I know of no Christian troops. I shall be told of the Crusades. Without disputing the valour of the Crusaders, I answer that, so far from being Christians, they were the priests' soldiery, citizens of the Church. They fought for their spiritual country, which the Church had, somehow or other, made temporal. Well understood, this goes back to paganism: as the Gospel sets up no national religion, a holy war is impossible among Christians.

Under the pagan emperors, the Christian soldiers were brave; every Christian writer affirms it, and I believe it: it was a case of honourable emulation of the pagan troops. As soon as the emperors were Christian, this emulation no longer existed, and, when the Cross had driven out the eagle, Roman valour wholly disappeared.

principes sur ce point important. Le droit que le pacte social donne au souverain sur les sujets ne passe point, comme je l'ai dit, les bornes de l'utilité publique[46]. Les sujets ne doivent donc compte au souverain de leurs opinions qu'autant que ces opinions importent à la communauté. Or il importe bien à l'État que chaque citoyen ait une religion qui lui fasse aimer ses devoirs; mais les dogmes de cette religion n'intéressent ni l'État ni ses membres qu'autant que ces dogmes se rapportent à la morale et aux devoirs que celui qui la professe est tenu de remplir envers autrui. Chacun peut avoir, au surplus' telles opinions qu'il lui plait, sans qu'il appartienne au souverain d'en connaître: car, comme il n'a point de compétence dans l'autre monde, quel que soit le sort des sujets dans la vie à venir, ce n'est pas son affaire, pourvu qu'ils soient bons citoyens dans celle-ci.

Il y a donc une profession de foi purement civile dont il appartient au souverain de fixer les articles, non pas précisément comme dogmes de religion, mais comme sentiments de sociabilité sans lesquels il est impossible d'être bon citoyen ni sujet fidèle.[47] Sans pouvoir obliger personne à les croire, il peut bannir de l'État quiconque ne les croit pas; il peut le bannir, non comme impie, mais comme insociable, comme incapable d'aimer sincèrement les lois. la justice, et d'immoler au besoin sa vie à son devoir. Que si quelqu'un, après avoir reconnu publiquement ces mêmes dogmes, se conduit comme ne les croyant pas, qu'il soit puni de mort; il a commis le plus grand des crimes, il a menti devant les lois.

Les dogmes de la religion civile doivent être simples, en petit nombre, énoncés avec précision, sans explications ni commentaires. L'existence de là Divinité puissante, intelligente, bienfaisante, prévoyante et pourvoyante, la vie à venir, le bonheur des justes, le châtiment des méchants, la sainteté du contrat social et des lois: voilà les dogmes positifs. Quant aux dogmes négatifs, je les borne à un seul, c'est l'intolérance: elle rentre dans les cultes que nous avons exclus.

Ceux qui distinguent l'intolérance civile et l'intolérance théologique se trompent, à mon avis. Ces deux intolérances sont inséparables. Il est impossible de vivre en paix exclusive, on doit tolérer toutes celles qui tolèrent les autres, autant que leurs dogmes n'ont rien de contraire aux devoirs du citoyen. Mais quiconque ose dire: But, setting aside political considerations, let us come back to what is right, and settle our principles on this important point. The right which the social compact gives the Sovereign over the subjects does not, we have seen, exceed the limits of

---

46 *Dans la République*, dit le M(arquis) d'A(rgenson), *chacun est parfaitement libre en ce qui ne nuit pas aux autres*. Voilà la borne invariable, on ne peut la poser plus exactement. Je n'ai pu me refuser au plaisir de citer quelquefois ce manuscrit quoique non connu du public, pour rendre honneur à la mémoire d'un homme illustre et respectable, qui avait conservé jusque dans le ministère le coeur d'un vrai citoyen, et des vues droites et saines sur le gouvernement de son pays.

47 César plaidant pour Catilina tâchait d'établir le dogme de la mortalité de l'âme, Caton et Cicéron pour le réfuter ne s'amusèrent point à philosopher: ils se contentèrent de montrer que César parlait en mauvais citoyen et avançait une doctrine pernicieuse à l'Etat. En effet voilà de quoi devait juger le Sénat de Rome, et non d'une question de théologie.

public expediency.[47] The subjects then owe the Sovereign an account of their opinions only to such an extent as they matter to the community. Now, it matters very much to the community that each citizen should have a religion. That will make him love his duty; but the dogmas of that religion concern the State and its members only so far as they have reference to morality and to the duties which he who professes them is bound to do to others. Each man may have, over and above, what opinions he pleases, without it being the Sovereign's business to take cognisance of them; for, as the Sovereign has no authority in the other world, whatever the lot of its subjects may be in the life to come, that is not its business, provided they are good citizens in this life.

There is therefore a purely civil profession of faith of which the Sovereign should fix the articles, not exactly as religious dogmas, but as social sentiments without which a man cannot be a good citizen or a faithful subject.[48] While it can compel no one to believe them, it can banish from the State whoever does not believe them — it can banish him, not for impiety, but as an anti-social being, incapable of truly loving the laws and justice, and of sacrificing, at need, his life to his duty. If any one, after publicly recognising these dogmas, behaves as if he does not believe them, let him be punished by death: he has committed the worst of all crimes, that of lying before the law.

The dogmas of civil religion ought to be few, simple, and exactly worded, without explanation or commentary. The existence of a mighty, intelligent and beneficent Divinity, possessed of foresight and providence, the life to come, the happiness of the just, the punishment of the wicked, the sanctity of the social contract and the laws: these are its positive dogmas. Its negative dogmas I confine to one, intolerance, which is a part of the cults we have rejected.

Those who distinguish civil from theological intolerance are, to my mind, mistaken. The two forms are inseparable. It is impossible to live at peace with

---

47 "In the republic," says the Marquis d'Argenson, "each man is perfectly free in what does not harm others." This is the invariable limitation, which it is impossible to define more exactly. I have not been able to deny myself the pleasure of occasionally quoting from this manuscript, though it is unknown to the public, in order to do honour to the memory of a good and illustrious man, who had kept even in the Ministry the heart of a good citizen, and views on the government of his country that were sane and right.

48 Cæsar, pleading for Catiline, tried to establish the dogma that the soul is mortal: Cato and Cicero, in refutation, did not waste time in philosophising. They were content to show that Cæsar spoke like a bad citizen, and brought forward a doctrine that would have a bad effect on the State. This, in fact, and not a problem of theology, was what the Roman senate had to judge.

avec des gens qu'on croit damnés; les aimer serait haïr Dieu qui les punit: il faut absolument qu'on les ramène ou qu'on les tourmente. Partout où l'intolérance sitôt qu'elle en a, le souverain n'est plus souverain, même au temporel: dès lors les prêtres sont les vrais maîtres, les rois ne sont que leurs officiers.

Maintenant qu'il n'y a plus et qu'il ne peut plus y avoir de religion nationale théologique est admise, il est impossible qu'elle n'ait pas quelque effet civil;[48] et Hors de l'Église point de salut, doit être chassé de l'État, à moins que l'État ne soit l'Église, et que le prince ne soit le pontife. Un tel dogme n'est bon que dans un gouvernement théocratique; dans tout autre il est pernicieux. La raison sur laquelle on dit qu'Henri IV embrassa la religion romaine la devrait faire quitter à tout honnête homme, et surtout à tout prince qui saurait raisonner.

Chapitre 4.9 Conclusion

Après avoir posé les vrais principes du droit politique et tâché de fonder l'État sur sa base, il resterait à l'appuyer par ses relations externes; ce qui comprendrait le droit des gens, le commerce, le droit de la guerre et les conquêtes, le droit public, les ligues, les négociations, les traités, etc. Mais tout cela forme un nouvel objet trop vaste pour ma courte vue: j'aurais dû la fixer toujours plus près de moi.

---

48 Le mariage, par exemple, étant un contrat civil, a des effets civils sans lesquels il est même impossible que la société subsiste. Supposons donc qu'un clergé vienne à bout de s'attribuer à lui seul le droit de passer cet acte; droit qu'il doit nécessairement usurper dans toute religion intolérante. Alors n'est-il pas clair qu'en faisant valoir à propos l'autorité de l'Église il rendra vaine celle du prince qui n'aura plus de sujets que ceux que le clergé voudra bien lui donner. Maître de marier ou de ne pas marier les gens selon qu'ils auront ou n'auront pas telle ou telle doctrine, selon qu'ils admettront ou rejetteront tel ou tel formulaire, selon qu'ils lui seront plus ou moins dévoués, en se conduisant prudemment et tenant ferme, n'est-il pas clair qu'il disposera seul des héritages, des charges, des citoyens, de l'État même, qui ne saurait subsister n'étant plus composé que des bâtards? Mais, dira-t-on, l'on appellera comme d'abus, on ajournera, décrétera, saisira le temporel. Quelle pitié! Le clergé, pour peu qu'il ait, je ne dis pas de courage, mais de bon sens, laissera faire et ira son train; il laissera tranquillement appeler, ajourner, décréter, saisir, et finira par être le maître. Ce n'est pas, ce me semble, un grand sacrifice d'abandonner une partie quand on est sûr de s'emparer du tout.

those we regard as damned; to love them would be to hate God who punishes them: we positively must either reclaim or torment them. Wherever theological intolerance is admitted, it must inevitably have some civil effect;[48] and as soon as it has such an effect, the Sovereign is no longer Sovereign even in the temporal sphere: thenceforce priests are the real masters, and kings only their ministers. Now that there is and can be no longer an exclusive national religion, tolerance should be given to all religions that tolerate others, so long as their dogmas contain nothing contrary to the duties of citizenship. But whoever dares to say: Outside the Church is no salvation, ought to be driven from the State, unless the State is the Church, and the prince the pontiff. Such a dogma is good only in a theocratic government; in any other, it is fatal. The reason for which Henry IV is said to havembraced the Roman religion ought to make every honest man leave it, and still more any prince who knows how to reason.

Chapter 4.9 Conclusion

Now that I have laid down the true principles of political right, and tried to give the State a basis of its own to rest on, I ought next to strengthen it by its external relations, which would include the law of nations, commerce, the right of war and conquest, public right, leagues, negotiations, treaties, etc. But all this forms a new subject that is far too vast for my narrow scope. I ought throughout to have kept to a more limited sphere.

---

48 Marriage, for instance, being a civil contract, has civil effects without which society cannot even subsist. Suppose a body of clergy should claim the sole right of permitting this act, a right which every intolerant religion must of necessity claim, is it not clear that in establishing the authority of the Church in this respect, it will be destroying that of the prince, who will have thenceforth only as many subjects as the clergy choose to allow him? Being in a position to marry or not to marry people according to their acceptance of such and such a doctrine, their admission or rejection of such and such a formula, their greater or less piety, the Church alone, by the exercise of prudence and firmness, will dispose of all inheritances, offices and citizens, and even of the State itself, which could not subsist if it were composed entirely of bastards? But, I shall be told, there will be appeals on the ground of abuse, summonses and decrees; the temporalities will be seized. How sad! The clergy, however little, I will not say courage, but sense it has, will take no notice and go its way: it will quietly allow appeals, summonses, decrees and seizures, and, in the end, will remain the master. It is not, I think, a great sacrifice to give up a part, when one is sure of securing all.